FEMINISMOS Y LGTB+

¡IMPARABLES!

Astronave es un sello de Norma Editorial

¡IMPARABLES! Feminismos y LGTB+, de Pandora Mirabilia y Mar Guixé.
Texto escrito por Izaskun Aroca Sánchez, Vicky Barambones García, Irene García Rubio, Marta Monasterio Martín y Soraya González Guerrero, socias y trabajadoras de Pandora Mirabilia. Género y Comunicación. Segunda edición: noviembre de 2018.

© Pandora Mirabilia. Género y Comunicación. S.Coop.Mad por el texto
© Mar Guixé por las ilustraciones
© 2018, Norma Editorial S.A.

Editorial Astronave
Passeig de Sant Joan, 7 – 08010 Barcelona
Tel.: 93 303 68 20 – Fax: 93 303 68 31
info@editorialastronave.com

Rotulación: Saüc Estudi

ISBN: 978-84-679-3227-0
Depósito legal: B 14441-2018
Impreso en España

Facebook: EditorialAstronave
Instagram: @EditorialAstronave
www.EditorialAstronave.com

Servicio de venta por correo: Tel.: 932 448 125
correo@editorialastronave.com - www.editorialastronave.com/correo

FEMINISMOS Y LGTB+ ¡IMPARABLES!

Pandora Mirabilia
Ilustraciones de Mar Guixé

astronave

Dedicámos este libro al resto de pandoras, meigas, amigas y colegas con las que trabajamos, debatimos y aprendemos cada día. Un agradecimiento especial a Begoña Núñez Biurrun, por las horas de charla, corrección de estilo y aguante, así como a José Álvarez García y sus alumnas del CEIPSO Tirso de Molina de Madrid, por su tiempo y sus ideas.

Pandora Mirabilia

Para mi cometa Montse Valle.

Mar Guixé

INTRODUCCIÓN

Superheroínas, actrices, youtubers, artistas, instagramers, cantantes, manifestaciones multitudinarias tiñen de morado y arcoíris el centro de las ciudades. #NiUnaMenos, #LoveIsLove, #MeToo, #ItsTheLGTB, #YoSíTeCreo... ¿Y tú? ¿También te has dado cuenta de que es el momento del feminismo?

«Nos ha salido feminista. No. Os he salido de la jaula», dice la tuitera Srta. Bebi en su libro *Amor y asco*. Pues sí, los feminismos han salido de la jaula y caminan con fuerza y de la mano, en muchos casos, del movimiento LGTB+ (lesbianas, gays, transexuales, bisexuales, y más). Disidentes, diversas, únicas, singulares, en manada, todo un abanico de posibilidades que cuestionan las definiciones más estrechas de lo que se define como «normal». Como dicen muchas activistas, «normal es un programa de mi lavadora».

"NORMAL" es un programa de mi lavadora

¿Qué es esto del feminismo y del movimiento LGTB+? Está claro que va más allá de una frase en una camiseta o una bandera arcoíris, pero ¿son luchas que siempre estuvieron ahí? ¿Llevamos siglos hablando del *bodyshame* y del heteropatriarcado? Si te resultan marcianas estas palabras, no te preocupes, las descubrirás a lo largo de estas páginas.

En este libro te proponemos acercarte al feminismo y al movimiento LGTB+, conocer su historia, sus principales luchas, debates, conceptos y propuestas, y curiosear sobre la vida de algunas y algunos de sus protagonistas. Además, a modo de brújula, incluimos un pequeño glosario para no perderte en ningún debate ni en ninguna conversación en la comida familiar sobre el tema.

Para abrir boca, arrancaremos con cuatro conceptos básicos: feminismo, patriarcado, género y queer. Ahí es nada.

Empecemos por lo fácil.

EL FEMINISMO

· No es lo contrario del machismo.

· No defiende la superioridad de las mujeres ni el odio a los hombres.

· Defiende una sociedad más justa e igualitaria para todas las personas.

· No muerde, aunque a veces puede escocer porque cuestiona los privilegios de gran parte de la población.

· Es diverso y plural, como lo son todas las personas.

· No es solo una cuestión de las mujeres, busca implicar en el cambio a toda la sociedad. Sí, a los hombres también, porque con el feminismo ellos también ganan mucho.

· Promueve la solidaridad entre las mujeres.

· Se entrelaza en su lucha contra la discriminación con el movimiento LGTB+ y otros movimientos.

· No es solo de mujeres blancas universitarias. Aunque desde sus inicios las teorías feministas que más se han dado a conocer han sido las de mujeres occidentales con educación superior, poco a poco otro tipo de feminismos se han ido visibilizando y han ido ocupando un espacio más que necesario: lesbianas, negras, indígenas, no universitarias, migrantes...

· No es una moda pasajera, su teoría y su práctica tienen más de dos siglos de trayectoria y gracias al esfuerzo de muchas mujeres y algunos hombres se han logrado grandes cambios.

· Está vivo y evoluciona dando respuesta a los límites que en cada momento se ponen a las vidas de las mujeres.

Así, a grandes rasgos, podríamos decir que el feminismo es un movimiento político, social, cultural y económico que busca transformar la sociedad y terminar con la opresión de las mujeres.

Existe una toma de conciencia colectiva por parte de las mujeres sobre las desigualdades que sufren. Esas desigualdades se detectan gracias a las «gafas violeta» y una vez que te las pones, es difícil quitártelas. Las gafas violeta ayudan a detectar las desigualdades salariales, el trabajo no remunerado que suponen los cuidados que realizan las mujeres, o los micromachismos del día a día. Las gafas también sirven para identificar, denunciar y poner nombre a distintos tipos de violencias en base al género. De algunos se habla desde hace décadas, como el acoso sexual, y otros son términos más recientes como el *mansplaining* o el *pinkwashing*.

Y como cada realidad es diferente, hablaremos de feminismos en plural, ya que la condición y la realidad de las mujeres en Europa son diferentes a las de, por ejemplo, Latinoamérica o África subsahariana. Existen mujeres lesbianas, trans, negras, migrantes, de clase alta, jóvenes, viejas... Sin embargo, más allá de la condición individual, a todas las une algo en común: su opresión a manos del patriarcado.

PATRIARCADO

Literalmente sería el «gobierno de los padres». Es un sistema de dominación masculina que ha cambiado a lo largo de la historia, cuyo objetivo es controlar la vida de las mujeres tanto en el espacio privado (los hogares) como en todos los espacios públicos: laboral, político, religioso, cultural o económico.

Algunos ejemplos de nuestra sociedad patriarcal:

· En la economía. Ellas trabajan el doble, fuera y dentro de casa (lo que se conoce como «doble jornada»), ya que se encargan de los cuidados en el hogar. Ellos, en cambio, son los «proveedores» encargados de traer el dinero a casa como única función en el ámbito doméstico.

· En la educación. A ellos se les fomenta la acción y la actividad física (correr, saltar, se les enseña a jugar al fútbol, etc.) y a curiosear en la ciencia. Ellas reciben palabras dulces, estímulos más tranquilos, menos movimientos; se les fomenta todo lo que tiene que ver con las personas y con las humanidades.

· En la legislación. Incluso en las leyes más progresistas sobre violencia de género, como es el caso de la española, solo se considera violencia de género si quien te agrede es tu esposo o tu pareja, si no, no. Otro ejemplo: el apellido del padre, en la gran mayoría de casos, siempre va el primero.

· Los cánones de belleza. Ellas tienen que ir maquilladas, depiladas y siempre con buena cara; a ellos las canas les sientan bien y las arrugas les vuelven más interesantes.

· En el lenguaje. Uso del masculino genérico o de palabras que en femenino son despectivas. Desde el clásico «zorra» hasta referirse a la «mujer del alcalde» como la «alcaldesa».

· En la sexualidad. Ellos tienen que representar el papel del macho alfa que toma la iniciativa y es experimentado; ellas, el de la mujer sumisa que desea ser madre y no se interesa demasiado por el sexo.

De hecho, para el patriarcado, la única sexualidad posible son las relaciones heterosexuales, de ahí que el movimiento LGTB+ hable de «heteropatriarcado». Para que te hagas una idea, ser hetero, en inglés, se dice ser *straight*, algo así como derecho o recto.

Así, patriarcado define lo que socialmente es correcto y lo que no a través de una mirada binaria donde solo hay dos opciones posibles: bueno-malo, activo-pasivo, masculino-femenino, normal-anormal, recto-desviado...

El patriarcado además ha logrado sobrevivir a lo largo de los siglos adaptándose a cada momento histórico y territorio, garantizando la transmisión de poder de unos hombres a otros.

GÉNERO

Gracias al patriarcado, sabemos lo que es vivir en una sociedad binarista donde parece haber solo dos opciones posibles y una de ellas siempre es la buena. ¿Qué es lo masculino y qué es lo femenino? ¿Es «natural» que a los niños les gusten los camiones y a las niñas las muñecas? ¿Que ellos jueguen al fútbol y ellas salten a la comba? ¿Nació mi hermana siendo fan del rosa? ¿O son comportamientos que hemos aprendido? ¿Lo «normal» es ser heterosexual y la homosexualidad es una desviación? La respuesta es sencilla: no, no es natural, ni es biológico, ni es normal. Son comportamientos que aprendemos socialmente desde que somos pequeñas y pequeños: los roles de género.

Algo muy importante para el inicio de tu viaje es no confundir el género con el sexo. No es lo mismo. El sexo, ser hombre o ser mujer, es lo que se asigna a los bebés al nacer (e incluso antes) en función de unas características anatómicas y fisiológicas, como tener pene o vulva. ¡Ya ves, el binarismo empieza a dejar opciones fuera incluso antes de nacer! El pensamiento binario ignora, por ejemplo, la intersexualidad, de la que hablaremos más adelante.

Por su parte, los roles de género son el conjunto de normas sociales que dictan cómo debe comportarse una mujer o un hombre en cada aspecto de su vida: cómo debe caminar, peinarse, vestirse o incluso hablar. Es decir, lo que es adecuado y lo que no, lo que está dentro de la norma y lo que se sale por completo.

Poco a poco esos roles van calando hasta parecer que son nuestros. Pero no, son mandatos de género que nos llegan del exterior e interiorizamos. Muchas veces se convierten en un pequeño Pepito grillo en nuestras cabezas que nos impide transgredir o romper con lo que socialmente se considera correcto. Desde la manera en la que queremos vivir nuestra sexualidad o nuestra maternidad hasta cómo vestimos. En muchas ocasiones, por evitar la culpa o la crítica social aceptamos los roles de género, aunque nos encierren y coarten nuestra libertad.

¡Buenas noticias! El género, sus roles y sus mandatos, son construcciones sociales, por lo que se pueden transformar. Para ello es necesario hacerlos visibles, darse cuenta y, así, deconstruirlos. En ese cambio tiene mucho que decir el movimiento LGTB+ y, en concreto, la teoría queer. Como señala el activista trans Pol Galofré, «el género es una construcción social. Y entender eso quiere decir entender que sexo, identidad, expresión y orientación son cosas separadas y que no tienen por qué ir perfectamente alineadas».

QUEER

Queer ha tenido muchos y variados significados a lo largo del tiempo. Su traducción del inglés sería algo así como diferente, raro, invertido, desviado, lo que no es recto. Nació como un guiño a otra palabra inglesa que se refería a la heterosexualidad: straight, que, como ya hemos explicado, significa recto, derecho. Todo lo que se salía de los moldes era queer. Como todo eso asustaba un poco, había que castigarlo de algún modo. En sus orígenes se utilizó la palabra de manera peyorativa para definir a todas aquellas personas que no eran heterosexuales o que rompían los mandatos de género. El trabajo de numerosas personas activistas consiguió darle otro significado y reapropiarse del término, que ha acabado siendo una palabra de orgullo.

Bajo el paraguas queer hay espacio para muchas identidades y deseos. El pensamiento queer reta, con diferentes formas y caminos, los mandatos de género y de orientación sexual preestablecidos. Lo queer es radical, es decir, va a la raíz de la discriminación. Lo queer celebra y reivindica la diversidad. Lo queer huye de todas las etiquetas que te catalogan como hombre o mujer, de todas las identidades que nos asignan al nacer. Lo queer rechaza la imposición de conceptos binarios (hombre-mujer, masculino-femenino) porque los considera opresivos. Lo queer cuestiona la identidad de género reducida a dos opciones: lo femenino y lo masculino. Lo queer objeta que nuestros cuerpos se tengan que ajustar a una norma o modelo. Lo queer cuestiona lo LGTB+ *mainstream*, de masas. Una persona puede expresar su identidad de género de manera flexible, según cómo la sienta, interpretar -o, como se suele decir, performar- su género de manera fluida, moviéndose libremente por el amplio espectro de la sexualidad, sin tener que ceñirse a solo dos opciones.

¿Qué significan esas letras, LGTB+? Las siglas quieren reflejar la diversidad de identidades de género y orientaciones sexuales: L, lesbianas; G, gays; T, transexuales, y B, bisexuales. A lo largo de este libro verás que las siglas aparecen de diferentes formas: LGB al principio, luego LGTB, y otras veces con un + al final. Cuando estés viajando por la línea del tiempo verás que en algunos momentos de la historia simplemente no aparecen y sin embargo se habla de sodomitas o de homosexualidad. ¿Por qué tanto cambio y evolución? Tiene mucho que ver con cómo, en diferentes contextos sociopolíticos, se nombra o se silencia todo aquello que no es heterosexualidad, pero sobre todo, hay una gran evolución a partir de los años 90, con las reivindicaciones de la lucha activista y la aparición de planteamientos queer. A partir de este momento se redefine la diversidad sexual y las diferentes identidades añadiendo siglas en este acrónimo que reflejen un amplio abanico de subjetividades. Seguro que incluso has visto LGTBIQQAAP. Las cuatro primeras ya sabes qué significan. Luego están: I, intersexual; Q, queer; Q, del inglés *questioning* (cuestionar) el género; A, asexual; A, aliadas o aliados, y P, pansexual. En este libro utilizaremos LGTB+ para reflejar tanta diversidad.

¿FEMINISMOS Y LGTB+? SÍ, GRACIAS

Pero si ya existe la igualdad, ¿no? Las mujeres y los hombres, ¿no tienen ya los mismos derechos? Y las personas LGTB+, ¿no pueden ya adoptar y casarse en un buen número de países? Bueno, sí. Las luchas feminista y LGTB+ de las últimas décadas han visto como algunas de sus reivindicaciones se reflejaban en leyes y normativas. Es lo que llamamos igualdad formal.

Sin embargo, a pesar de los muchos avances que tenemos que celebrar, el machismo y la LGTBfobia (la discriminación de las personas LGTB+) no solo se miden por las leyes. Se miden en las calles, en los colegios, en los medios de comunicación, en los juzgados, en las casas... ¿Qué sucede en la vida real? ¿Afectan por igual esas leyes a todas las personas? ¿Cómo está la situación en el mundo? ¿Podemos asegurar que las leyes no volverán a cambiar?

Todavía faltan muchos derechos que alcanzar para que la igualdad sea real. ¿Sabías que...?:

Las personas LGTB+ no cuentan con los mismos derechos que las heterosexuales. El matrimonio entre personas del mismo sexo está aprobado en solo 25 países, y la adopción aún no está reconocida en muchos de ellos.

En 2016, el Estado de Carolina del Norte (EEUU) aprobó una normativa que discrimina a las personas transexuales. Algunos de los puntos que incluía son: «Los estudiantes y ciudadanos deberán emplear los baños designados al sexo que se les asignó al nacer, no con el que se identifiquen en la actualidad»; o el «sexo biológico es la condición física masculina o femenina establecida en el certificado de nacimiento de cada ciudadano».

Si vives en un país en el que tienes acceso a educación, ¡hurra! Pero en el mundo hay millones de niñas a las que todavía se les niega este derecho.

Según el Instituto de Estadística de la Unesco, 16 millones de niñas nunca irán a la escuela, y las mujeres representan dos tercios de los 750 millones de adultos que carecen de conocimientos básicos de alfabetización.

La lista de países que no han firmado el convenio que regula los derechos de las trabajadoras en el ámbito doméstico es larguísima. Este convenio, el C189 de la Organización Internacional del Trabajo, busca asegurar y ampliar la protección social y los derechos de las trabajadoras. En España, por ejemplo, las empleadas del hogar no tienen derecho a la prestación por desempleo.

Hoy en día, los movimientos feminista y LGTB+ tienen todo el sentido y vienen más fuertes que nunca. Y falta que nos hace, porque las discriminaciones por cuestión de género y sexo son muchas y están en plena forma. Quizá no las vemos tan fácilmente, o desconocemos la realidad, o nos parece que son fruto de diferencias normales y naturales.

Por todo ello te proponemos iniciar el viaje por este libro conociendo en qué se traduce hoy en día el machismo y la LGTBfobia. Solo así podremos entender por qué es necesario el feminismo y la lucha LGTB+. Estos son solo algunos ejemplos y ojo, que a veces ¡la realidad supera a la ficción!

¡CÓMO ESTÁ EL TRABAJO!

Hoy en día podemos decidir libremente sobre nuestro tiempo personal y laboral, emprender una carrera profesional y tener hijos e hijas, o decantarnos por una u otra opción.

Esto es una verdad a medias. La realidad y las condiciones laborales de muchas mujeres y personas LGTB+ están lejos de ser iguales a las de un hombre. Por ejemplo, el paro entre las personas transexuales y transgénero en España asciende al 85%.

Por otro lado, es cierto que las mujeres se han incorporado al mercado laboral, pero ¿en qué condiciones? El camino no es fácil. La diferencia salarial entre mujeres y hombres sigue siendo demasiado amplia. Las mujeres ocupan el mayor porcentaje de contratos temporales y a tiempo parcial, y el porcentaje de mujeres en puestos de dirección sigue siendo muy bajo. ¿Será que hay un techo de cristal que no las deja pasar?

Y, ¿qué me dices de los trabajos domésticos? Mujeres y hombres comparten las tareas en casa al 50%, ¿verdad? ¿O no es así? Los hombres no se han incorporado en la misma medida a este ámbito, por lo que las mujeres se encuentran con que después de su jornada laboral, tienen que seguir trabajando dentro de casa. A esto se le llama la «doble jornada». Y no, la típica respuesta «yo también ayudo en casa» no es la solución.

Lo que sí lo es, es responsabilizarse de estas tareas, lo que llamamos ser corresponsables. También es necesario que esto se acompañe de un cambio por parte de las empresas e instituciones ya que tiene que acabarse que se merme la carrera laboral de las mujeres cuando son madres, y que los hombres ganen prestigio profesional cuando son padres.

¿Que no te crees todo esto? A ver qué te parecen estos datos del 2017, elaborados por la Comisión Europea en su documento de trabajo sobre la situación de la igualdad de mujeres y hombres en el marco de su «Compromiso Estratégico para la Igualdad de Género 2016-2019»: los hombres siguen ganando un 16,3% más que las mujeres. Solo un 3% de los CEO o consejeros delegados de las empresas que cotizan en la UE son mujeres, y mientras la ocupación laboral de los hombres alcanza el 75% en Europa, la de las mujeres apenas llega al 63%.

LOS ROSTROS DE LA POBREZA

Compatibilizar el trabajo asalariado con los cuidados que mantienen la vida, como es la atención de personas dependientes o las tareas domésticas, es algo complicado en nuestras sociedades. ¿Cómo lo hace, entonces, la gente? Quienes tienen una buena situación económica contratan a alguien para que haga estos trabajos. ¿Esto es generar empleo? Ojalá, pero la verdad es que suelen ser trabajos precarios, sin contrato y mal pagados. Además, principalmente los desempeñan mujeres migrantes de países del Sur y del Este, que emigran para cuidar a las hijas e hijos de las familias de los países del Norte. El hecho de que el 70% de las personas que viven en la pobreza en el mundo sean mujeres quizá tenga algo que ver con este desplazamiento migratorio, ¿no? O que, aunque las mujeres producen el 70% del cultivo de alimentos básicos, el 99% de las tierras cultivadas esté en manos de los hombres.

Con pobreza no solo nos referimos al empobrecimiento material, sino también a las condiciones de vida, al acceso a recursos, como son el uso del tiempo, el trabajo remunerado, la economía, etc., o al cumplimiento de derechos fundamentales. Las personas LGTB+ son uno de los principales grupos excluidos de manera sistemática por obstáculos que no son simplemente económicos, sino también políticos, sociales y culturales. Debido a la persecución de la homosexualidad en sus países, muchas personas LGTB+ a menudo no tienen otra opción que buscar asilo en otro lugar. Si se niegan a dejar el país, pueden acabar en una situación vulnerable, como sucede en Estados Unidos, donde el 40% de los jóvenes sin hogar son LGTB+.

MACHISMO Y LGTBFOBIA INSTITUCIONAL

Las instituciones y normativas están cargadas de expresiones ideológicas, y muchas veces van acompañadas de prejuicios. A la hora de donar sangre, ¿crees que hay algún grupo o colectivo al que no se le permite donar? En 2015, el Tribunal de Justicia de la Unión Europea prohibía donar a los hombres que han tenido relaciones sexuales con otros hombres. Perdonen: ¿qué es lo que pone en riesgo la calidad de la sangre? ¿Por qué no hablar de prácticas sexuales de riesgo? ¿Por qué es menos arriesgada la sangre de una persona heterosexual que mantiene relaciones sexuales sin medidas de protección de barrera?

Tras el ataque a un bar gay en Florida en 2016, donde fueron asesinadas 50 personas y 53 resultaron heridas, los hombres gays no pudieron donar sangre debido a esta prohibición. Como rechazo a esta situación y muestra de apoyo, la gente empezó a mover por las redes sociales fotos de largas colas de personas esperando para donar sangre.

Otro gran problema es el inmovilismo institucional. En México, donde más de siete mujeres mueren asesinadas al día víctimas de feminicidio, ¿cómo se explica que las autoridades se resistan a investigar esos asesinatos?

> 22.482 mujeres han sido asesinadas en las 32 entidades de México en un período de 10 años (2007 - 2016), según el Instituto Nacional de Estadística y Geografía (Inegi).

"HOGAR SEGURO"

Pensemos en el caso de la rebelión de las niñas del Hogar Seguro Virgen de la Asunción en Guatemala en 2017. A pesar de las constantes denuncias de las adolescentes sobre los abusos que sufrían en el centro de acogida, nadie hizo nada al respecto. Como símbolo de protesta, la madrugada del 8 de marzo iniciaron la quema de objetos y 34 de ellas murieron calcinadas porque nadie fue a abrir los habitáculos en los que estaban encerradas.

VIOLENCIAS DE GÉNERO, VIOLENCIAS MACHISTAS

La expresión máxima de la discriminación y la LGTBfobia es la violencia heteropatriarcal, es decir, todas las violencias que se ejercen por cuestión de género y sexo. Según la ONU, se estima que al menos un 35% de las mujeres de todo el mundo ha sufrido violencia en algún momento de su vida, y que una de cada cuatro mujeres ha sufrido algún tipo de acoso sexual en espacios públicos. Casi dos de cada diez europeas mayores de 15 años han sufrido acoso o agresiones sexuales alguna vez a lo largo de su vida, según el informe presentado en 2014 por la Agencia de los Derechos Fundamentales de la Unión Europea titulado *Violencia contra las mujeres*.

Aunque toda violencia es brutal, según el Consejo de Derechos Humanos de Naciones Unidas, aquella motivada por la homofobia y la transfobia se caracteriza por tener un mayor nivel de crueldad, superior al de otros delitos motivados por prejuicios. Las lesbianas y las mujeres transgénero tienen un riesgo aun mayor de sufrir violencia debido a la desigualdad de género y a las relaciones de poder establecidas en el seno de las familias y de la sociedad en general. Esto es lo que se denomina **lesbofobia** y **transmisoginia**. En algunos países, estos ataques incluso están respaldados por los estados, como es el caso de la región rusa de Chechenia, donde las personas LGTB+ son detenidas e internadas en campos de concentración.

EL CAMINO DE VUELTA A CASA: INSEGURIDAD EN EL ESPACIO PÚBLICO

Que levante la mano quien haya ido mirando para atrás al caminar por la calle, quien haya sido perseguida o perseguido mientras le decían insultos homófobos, quien haya cambiado su recorrido para evitar pasar por ese sitio solitario, quien haya soltado la mano de su pareja al cruzarse con un grupo, quien haya sido agredida o agredido por su aspecto. Como estas hay otras muchas situaciones de miedo y vulnerabilidad por las que miles de mujeres y personas LGTB+ han pasado a lo largo de su vida. Es curioso que las estrategias seguidas en estas situaciones sean tan parecidas: evitar ir por una calle, no besar, no usar cierta ropa, controlar el tiempo para que no se haga tarde...

¿Por qué aprendemos estrategias similares? Los mensajes que recibimos tienden a desplazar la responsabilidad hacia quien ve coartada su libertad, en vez de apuntar a quien la limita. Lee sólo este ejemplo. En el verano de 2014, el entonces ministro del Interior de España publicó unas recomendaciones para prevenir los casos de violaciones y acoso sexual de mujeres en sus casas o en la calle. Al parecer, en épocas estivales estos delitos aumentan. «Evita calles oscuras» o «si vives sola, pon el nombre de un

hombre en tu buzón» fueron dos de estas ideas brillantes. Vamos, es el «si vas con esa ropa, que no te extrañe que luego te pase lo que te pase» de toda la vida. Para evitar esto, ¿no habría que hacer más bien campañas dirigidas a los hombres que fomenten el respeto a las mujeres, antes que obligar a estas a coartar su libertad? ¿No sería más efectivo invertir los recursos en aumentar las medidas de protección y apoyo a las mujeres que denuncian una agresión?

EL CUERPO
COMO CAMPO DE BATALLA

Tu cuerpo es tuyo, ¿no? Puedes decidir con quién acostarte, si tienes hijas e hijos o no, cuándo disfrutar de tu sexualidad, expresar tu género como quieras... Sí, tu cuerpo es soberano, pero esa no es la realidad de muchas personas en el mundo.

¿Cómo te sentirías si tuvieras que esconderte para poder besar a la persona que amas? La homosexualidad aún es ilegal en más de 70 países. Casi el 40% de la población mundial vive en países en los que la homosexualidad se persigue, incluso con penas de muerte.

Otro ejemplo: no en todos los casos los genes que determinan el sexo son XX (mujer) o XY (hombre). El abanico es más amplio. ¿Sabías que hay personas que sufren cirugías genitales al nacer? Son personas intersexuales, cuyo sexo biológico no es ni XX ni XY, y que, para que encajen en una sociedad que solo reconoce dos sexos (binarista), son operadas al nacer para asignarles uno de esos dos sexos. Mientras algunas personas intersexuales sufren cirugías sin su consentimiento, las transexuales siguen luchando para poder operarse y que se les reconozca en otro género al que se les ha asignado. Aunque parezca de locos, hasta el 2018 la Organización

Mundial de la Salud (OMS) incluía la transexualidad en la lista de enfermedades.

Seguimos con el control sobre los cuerpos. Las mujeres siguen luchando por el derecho a un aborto seguro. Casi la mitad de las mujeres en edad reproductiva vive en países donde la interrupción voluntaria del embarazo está prohibida. Y hay más: también se sigue luchando para que se prohíba la mutilación genital femenina (MGF).

> Según los datos de la OMS, más de 200 millones de mujeres y niñas vivas actualmente han sido objeto de la MGF en los 30 países de África, Oriente Medio y Asia

LA POLÍTICA:
TERRITORIO PANTANOSO PARA LAS MUJERES

El mundo de la política institucional no es terreno fácil para las mujeres. Y para las personas LGTB+ ya ni hablamos. El protagonismo absoluto y abrumador de representantes varones podría hacer pensar que a las mujeres no les interesa participar en las decisiones políticas, pero nada más lejos de la realidad.

Lo que ocurre en política es común y compartido con otros ámbitos, aunque tal vez en este campo sea más visible. Aunque los partidos políticos tengan una amplia representación de mujeres entre sus bases, a medida que se asciende de categoría el número de estas se va reduciendo. Su infrarrepresentación es llamativa: en el mundo, según datos de la ONU de 2015, había 10 mujeres jefas de Estado y 15 jefas de Gobierno. Solo el 21,9% de los parlamentarios y el 17% de los ministros de todo el mundo eran mujeres a 1 de diciembre de 2014. Un poco alarmante, ¿no crees? Este fenómeno se llama «techo de cristal». Se refiere a las dificultades, a veces invisibles en forma de prejuicios y estereotipos, y otras no tan invisibles como las dificultades de conciliación de la vida personal con la política, que impiden a las mujeres ascender en las categorías profesionales.

Pensemos en la Unión Europea. En 2015 había tres países que no tenían ni una sola mujer ministra en sus gobiernos: Grecia, Hungría y Eslovaquia. En Chipre y Malta solo había una. Tan solo Finlandia y Suecia tenían más caras femeninas que masculinas en sus gobiernos, y Francia y Holanda tenían paridad. Cuatro países de 28. En el resto eran mayoría los consejos de ministros desiguales. Y estos datos se repetían a lo ancho y largo del globo.
A excepción de un país, Ruanda y sus 63,8% diputadas.

Más allá de la infrarrepresentación, las mujeres en la política se enfrentan a otros problemas: prejuicios de género que se traducen en un trato desigual y comentarios denigrantes, acoso, o tener que asumir liderazgos autoritarios para ser tenidas en cuenta. La cuestión no es que haya presencia de mujeres en la política sino que el feminismo impregne la política.

Y TODOS ESOS OTROS ESPACIOS
DE DISCRIMINACIÓN

La cultura, el deporte, los medios de comunicación o la publicidad. Se puede pensar que son espacios conquistados por las mujeres y las personas LGTB+ puesto que, afortunadamente, hay artistas, deportistas y referentes culturales de todos los sexos y colores. Pero, un momento, no vayamos a pasarnos otra vez de optimistas.

Para empezar: si hay tantas pintoras, deportistas, escritoras, actrices o cineastas como decimos, ¿por qué nadie habla de ellas? ¿Has contado alguna vez los minutos que se dedican a los deportes de mujeres en los noticiarios? ¿Por qué en los libros de historia del arte las mujeres, la mayoría de las veces, no aparecen como creadoras sino como musas en cuadros y esculturas? ¿Sabías que Natalie Portman, para denunciar el machismo en el cine durante los Globos de Oro de 2017, al presentar la lista de candidaturas a mejor dirección dijo «los candidatos 'masculinos' a mejor dirección son», porque en la lista no aparecía ninguna mujer? Un último ejemplo: en 2016, el 43º Festival de Cómic de Angulema, el más prestigioso de Europa, hizo pública la lista de candidatos a su gran premio, el Grand Prix, y entre los treinta nominados no constaba ninguna mujer. Del revuelo que causó la noticia, el festival tuvo que corregirse y sacar otra lista... ¡algo es algo!

A todo esto lo llamamos invisibilización y se produce porque nuestra cultura es ¡androcéntrica!, es decir, toma como centro de interés al hombre frente a las mujeres. Esto supone que, aunque haya mujeres que destacan en todos estos ámbitos, todavía no se les concede la importancia debida.

Con las personas LGTB+ ocurre, además, un fenómeno añadido: no es que no estén en estos ámbitos, lo que sucede es que se oculta su orientación sexual. De todos los jugadores de fútbol que conoces, ¿ninguno es gay? Seguro que sí, pero el miedo a las consecuencias de salir del armario puede que paralice. ¡Consecuencias, a estas alturas! Sí, sí, homofobia en pleno siglo XXI. En 2015, Michael Sam se convirtió en el primer jugador de fútbol americano que declaró ser gay. Se retiró un año después. En su cuenta de Twitter escribió: «Los últimos doce meses han sido muy difíciles para mí.»

Además de no hablar de ellas ni de su trabajo, a las mujeres y personas LGTB+ no se les otorga el mismo valor, se las infravalora. Esto se traduce en que cobran menos dinero y tienen peores condiciones de trabajo que sus compañeros varones. Hablemos de deporte: la brecha salarial (la diferencia de salarios) entre futbolistas profesionales varones y mujeres es astronómica. En 2017, Noruega se convirtió en el primer país del mundo donde la selección de fútbol de mujeres equiparó su salario con el de los hombres, pero es una gran excepción. Además, las condiciones de trabajo de las mujeres deportistas dejan mucho que desear: en cuanto a la dotación de recursos, apoyo económico institucional, dietas, equipamiento, condiciones en los viajes... ¿Será que las mujeres no tienen derecho a trabajar en las mismas condiciones que los hombres?

Del deporte, al cine. Igual te suena la polémica sobre la película de Ridley Scott *Todo el dinero del mundo*, rodada en 2017. Pues bien, ¿sabías que por tener que volver a rodar algunas escenas, se pagó al actor Mark Wahlberg 1,5 millones de dólares y a su compañera Michelle Williams solo 1.000 dólares? Sí, has entendido bien: al protagonista masculino le pagaron 1.500 veces el salario de la protagonista femenina (que, por cierto, es una actriz de bastante prestigio) por repetir el rodaje de ¡las mismas escenas! Ya sabemos que no todo en la vida es el dinero, pero estas cifras son escandalosas. La buena noticia es que cuando el actor Mark Wahlberg se enteró de esta diferencia de salarios, donó su parte a un fondo de ayuda a víctimas de acoso. Pasito a pasito.

¿Qué decir de cómo representan los medios de comunicación a mujeres y personas LGTB+, con esos titulares llenos de estereotipos y prejuicios? Si te pones las gafas violeta te sorprenderás: cuando se habla de mujeres (da igual su profesión, arte, deporte, logro científico...) probablemente la noticia haga alusión a su físico, a su pareja, a cómo va vestida, a si es emocional, a si es madre o no... «La Angelina Jolie kurda muere mientras luchaba contra el ISIS en Siria» (*The Daily Mirror*, Reino Unido), o directamente ponen la foto de su esposo como hizo *The Wall Street Journal* en su artículo «Hillary Clinton gana la nominación». Y son solo algunos ejemplos. Cosas, ya te habrás dado cuenta, que no son importantes si se habla de hombres. Los titulares de la prensa deportiva no tienen desperdicio: «La lista de buenorras internacionales en los Juegos

Olímpicos de Río» (*El Mundo*, España); «La esposa de un jugador de los Bears gana la medalla de bronce en los Juegos Olímpicos de Río» (*Chicago Tribune*, EEUU), o «El trío de las gorditas roza el milagro olímpico» (*Il Giorno*, Italia).

En el caso de la homosexualidad, se va un paso más allá. La condición no heterosexual de personajes en este ámbito se convierte en el tema de noticia, si no de especulación y morbo. Sobre el jugador del FC Barcelona, Zlatan Ibrahimovic, se dijo: «A su mal bagaje deportivo se le ha unido la polémica foto en la que aparece en una postura muy cariñosa junto a su compañero Gerard Piqué» (*Ecodiario.es*). Por si esto fuera poco, el periódico norteamericano *The Daily Beast* no tuvo mejor idea que publicar un artículo para sacar del armario a atletas sin su consentimiento, algunos de los cuales provenientes de países donde la homosexualidad está castigada. Como si se tratara de un artículo de investigación, el periodista se creó un perfil en una app de contactos utilizada por hombres gays para descubrir cómo ligaban los deportistas en la Villa Olímpica. Debido a las quejas, por suerte no llegó a ser publicado. En el caso de las mujeres, la lesbofobia lleva a dar rodeos para obviar la relación sexoafectiva entre dos mujeres: «La jugadora de rugby le hace una propuesta de matrimonio su amiga al terminar el partido» (*Periodista Digital*, España). ¿No será que lo que hay que poner en duda es la calidad de este periodismo?

UN POCO DE HISTORIA

FEMINISMOS Y LGTB+ EN EL MUNDO

Los movimientos feminista y LGTB+ tienen más fuerza que nunca. Encabezan la resistencia en las luchas globales por los derechos civiles, los derechos humanos y la defensa del medio ambiente. Han sabido articularse a través de la acción individual y colectiva, de acciones, manifiestos, manifestaciones, teorías, etc., en diferentes épocas y partes del mundo. Estas movilizaciones causan un efecto cadena, dando respuestas a problemas que nos afectan a todas y a todos.

La historia de ambos movimientos es inabarcable, extensa y diversa. Aunque las luchas son comunes en todos los territorios, estas se dan en diferentes momentos y formas según el contexto y la realidad de cada país. En este capítulo se recogen los principales hitos para conocer cómo se han ido tejiendo estos movimientos a lo largo del tiempo.

· SIGLO XVIII ·

REVOLUCIÓN FRANCESA (1789-1799)

1789. La marcha de Versalles

Armadas con cuchillos de cocina, las mujeres de clase baja parten de los mercados para organizar una marcha en la que exigen pan y el fin de la monarquía absoluta. Es la marcha de Versalles, a la que se suman los revolucionarios que exigían reformas políticas. Tras unos enfrentamientos, consiguen imponer sus demandas al rey.

1790. Hombres feministas

También los hombres se animan a rebatir la supuesta inferioridad natural de las mujeres. En 1790, el revolucionario girondino Nicolas de Condorcet escribe *Sobre la admisión de las mujeres en los derechos de la ciudad*. En él afirma que los derechos de igualdad tienen que ser para todas las personas.

1791. Voces en pro de la despenalización

Jeremy Bentham es pionero en defender la despenalización de la sodomía en 1785 en Inglaterra. El código napoleónico de 1791 (Francia) ya no la criminaliza aunque usa la «ofensa a la decencia pública» para censurar los actos homosexuales. Los cambios en el código penal surgidos en la Revolución inspiran a otros países que, a lo largo de este siglo y el siguiente, eliminan la homosexualidad como delito. Este es el caso de España, Bélgica, Portugal o Baviera en Europa, y de Brasil, México, Guatemala y Argentina, en América del Sur.

1791-1792. Dos escritoras en la Revolución

Marie Gouze se indigna cuando lee la *Declaración de los derechos del hombre y del ciudadano*: ¿cómo pueden hablar de derechos si dejan fuera a las mujeres? Como respuesta escribe, bajo el seudónimo de Olympe de Gouges, la *Declaración de los derechos de la mujer y de la ciudadana* en 1791. Un impulso similar mueve a la escritora y filósofa inglesa Mary Wollstonecraft, que viaja a París en plena Revolución y en seis semanas redacta *Vindicación de los derechos de la mujer*. Esta obra sienta las bases del feminismo moderno.

1793. Criminalización de las mujeres

En la Revolución, las mujeres se organizan por su cuenta para defender y promover sus derechos. Crean los clubes femeninos, que se extienden a Berlín y Londres. Pero a la joven república le asusta esta poderosa actividad y decide prohibirlos en 1793. Muchas mujeres son encarceladas y guillotinadas. En 1804, el Código Civil napoleónico estipula la obediencia de la esposa al marido y acaba con las esperanzas revolucionarias de las mujeres.

· SIGLO XIX - II GUERRA MUNDIAL ·

LAS SEMILLAS DEL ACTIVISMO LGTB+ EN EUROPA

1800. ¿Dónde están las lesbianas?

A lo largo de la historia, las lesbianas han sido invisibilizadas y se ha negado su sexualidad. La primera publicación sobre lesbianismo se escribe a principios del siglo XIX. A día de hoy, documentar la historia del lesbianismo requiere de una investigación más profunda que la que se haría en el caso de los hombres. Curioso, ¿no?

1836. Defensa del amor entre personas del mismo sexo

Heinrich Hössli publica *Eros*, una defensa del amor entre hombres. Cuatro años después, Karl Heinrich Ulrichs se convierte en la primera persona que sale del armario cuando solicita la derogación de las leyes antihomosexuales en el Congreso de Juristas Alemanes en Múnich. En 1870 publica la revista *Urnings*, de la que solo se editó un número. Un año antes, Károly Mária Kertbeny había utilizado, por primera vez, el término «homosexual» en un panfleto en contra de las leyes contra la sodomía. Se considera que Kertbeny fue el creador de la palabra.

EL SUFRAGISMO EN EEUU

1848. Declaración de Seneca Falls

Cansadas de que no les permitan asistir a actos políticos, Cady Stanton y Lucretia Mott convocan la primera convención sobre derechos de las mujeres en EEUU y redactan este texto fundacional del sufragismo norteamericano.

1851. «¿No soy yo una mujer?»

Las mujeres afroamericanas también protagonizan esta lucha. Sojourner Truth, exesclava, activista abolicionista y por los derechos de las mujeres, pronuncia en Ohio un discurso que reivindica el papel de las mujeres negras en el movimiento. Abre camino así al feminismo de las mujeres negras.

1866. Libres, pero sin voto

Gran decepción en el movimiento sufragista estadounidense: en 1866, el Partido Republicano concede el voto a los esclavos varones liberados pero se lo niega a las mujeres. Al año siguiente nace la Asociación Nacional por el Sufragio de la Mujer. Hasta 1920 la Constitución de Estados Unidos no aprueba el voto femenino.

EL SUFRAGISMO EN EL REINO UNIDO

1866. Ladies Petition

Tras varios años haciendo peticiones, en 1866, un total de 1.499 mujeres firman esta declaración a través de dos diputados para exigir el voto femenino. El Parlamento las desoye una vez más pero esta vez ellas deciden no rendirse y fundan las primeras organizaciones sufragistas.

1869. La sujeción de la mujer

Si la libertad es buena para el hombre, también lo tiene que ser para la mujer. Esta es la tesis del diputado inglés John Stuart Mill, que publica esta obra clásica del feminismo liberal. No es casualidad que su pareja fuese la feminista Harriet Taylor.

1903. La Unión Social y Política de las Mujeres

«Acciones, no palabras.» Este es el lema de la organización que funda Emmeline Pankhurst. Cansadas de que los políticos ignoren sus educadas reivindicaciones, deciden ir un paso más allá y dedicarse a la desobediencia civil. Manifestaciones, bloqueos, ruptura de escaparates o huelgas de hambre son algunos de sus métodos de lucha.

1913. Derby Day

Durante esta gran prueba de hípica a la que acudía la alta sociedad, la sufragista Emily Wilding Davison se lanzó a la pista con una pancarta por el derecho al voto. Fue arrollada por el caballo del rey Jorge V y murió cuatro días después. El funeral se convirtió en una movilización feminista.

1918. Se consigue el derecho al voto

Décadas de protestas dan por fin sus frutos: en 1918 se aprueba la ley de sufragio femenino. Sin embargo, es una victoria agridulce: solo pudieron votar las mujeres mayores de 30 años (mientras que la edad de voto para los hombres era de 21) que tenían propiedades. La edad de las mujeres para votar no se equipara a la de los varones hasta 1928.

SUFRAGISMO EN EL MUNDO

1893. Sufragio femenino en Nueva Zelanda

Por primera vez, un país legaliza el voto de las mujeres sin restricciones. Esta victoria le debe mucho al movimiento liderado por Kate Sheppard, que tendrá influencias en el movimiento sufragista de otros países.

1899. Egipto, pionero en el feminismo del mundo árabe

Qasim Amin, bautizado como padre del feminismo árabe, publica *La liberación de la mujer*, donde plantea la igualdad de derechos como una cuestión de justicia. Años más tarde, la activista Huda Sha'arawi funda en su casa la Unión Feminista Egipcia, que se une en 1947 a la Alianza Internacional por el Sufragio Femenino. En 1955 consiguen el voto.

1919. Movimiento sufragista en Argentina

Si no podemos votar, organizaremos nuestras propias elecciones. Esto pensó la médica Julieta Lanteri, que organizó una votación callejera en la que se presentaba como diputada y en la que participaron más de 2.000 personas. En 1947, se aprobó por fin el voto femenino en Argentina.

FLORECE EL MOVIMIENTO HOMOSEXUAL

Década de 1890. Movimiento homosexual en Alemania

Aparece el movimiento de liberación homosexual en Alemania, con base en Berlín. Se publica en 1896 la primera revista dirigida a público gay, *Der Eigene*, que podía incluso comprarse en los kioscos de esta ciudad.

1895. «Indecencia grave con otros hombres»

Hay hechos que empañan los avances y recuerdan la importancia del movimiento LGTB+. Este año, el famoso escritor Oscar Wilde es condenado a dos años de trabajos forzados, lo que arruina su reputación y le lleva a exiliarse a Francia. Dos años después, su conciudadano George Cecil Ives organiza el primer grupo por los derechos de las personas homosexuales.

1895. Rompiendo los moldes de hombre blanco-heterosexual

Adolfo Caminha publica en Brasil Bom-Crioulo, que genera gran revuelo, pues la homosexualidad es el eje central de una historia con un hombre negro como héroe.

1897. Primera organización en la lucha por los derechos gays

Magnus Hirschfel crea en Alemania el Comité Científico Humanitario, que se extiende por todo el país y a otros, como Holanda en 1912. Hirschfel es sexólogo y lleva al comité su teoría de que la homosexualidad es un «tercer sexo», que es algo biológico y que, por tanto, el derecho penal no es aplicable. Con el tiempo, y los avances en la reflexión, este discurso fue perdiendo fuerza.

1908. El sexo intermedio

Edward Carpenter escribe muchas obras contra la discriminación en función de la orientación sexual, entre las que destaca *El sexo intermedio* (1908), que puede considerarse uno de los textos fundacionales del movimiento LGBT+ del siglo XX.

8 DE MARZO

1908. Chicago

La celebración del 8 de marzo como Día de las Mujeres surge tras una serie de luchas emblemáticas. La primera de ellas es el acto, llamado Día de la Mujer que un grupo de socialistas norteamericanas celebra en Chicago en homenaje a unas huelguistas.

1910. Alemania

La política comunista alemana Clara Zetkin proclama el 8 de marzo como el Día Internacional de la Mujer Trabajadora en la Conferencia Internacional de Mujeres Socialistas.

1911. Nueva York

Un terrible incendio en la fábrica textil Triangle Shirtwaist de Nueva York provoca la muerte de 146 personas, la mayoría mujeres emigradas. El desastre tiene consecuencias: se reforman las leyes, impulsa la creación del Sindicato Internacional de Mujeres Confeccionistas y marca la celebración del 8 de marzo.

1917. Rusia

Tras algunas celebraciones del Día de la Mujer en otras fechas de marzo, se escoge definitivamente el día 8 por una revuelta de mujeres rusas contra la guerra en 1917. Las mujeres se amotinan ante la falta de alimentos y su rebelión prende la chispa de la Revolución Bolchevique: en octubre de ese mismo año cae el régimen zarista.

FEMINISMO SOCIALISTA Y ANARQUISTA

1916. Emma Goldman

Una sociedad en la que las mujeres vivan libremente su sexualidad. Este es el sueño de la anarquista rusa Emma Goldman, emigrada a EEUU. Pero las autoridades no están de acuerdo. En 1916 es encarcelada por distribuir información sobre métodos anticonceptivos, una más de sus numerosas detenciones y encarcelaciones. Goldman también hace alianzas con el movimiento LGTB+: es la primera mujer que habla públicamente en EEUU en defensa de los derechos homosexuales.

1918. Aleksandra Kollontái

Unir el socialismo con los derechos de las mujeres fue uno de los objetivos de esta activista rusa. Durante los primeros años de la revolución, Aleksandra Kollontái es la mujer más destacada del gobierno bolchevique y logra numerosas conquistas para las mujeres, como legalizar el divorcio y el aborto, el voto, así como salarios de maternidad además de guarderías.

1919. *Rosa Luxemburgo*

Este año Rosa Luxemburgo, junto con otros como Karl Liebeknecht, funda el Partido Comunista Alemán. Luxemburgo es una mujer destacada en el marxismo, que se opone al militarismo y a la I Guerra Mundial. El machismo de la época no se lo pone fácil y se tiene que enfrentar a reconocidos líderes marxistas como Lenin o Trotsky por defender sus ideas.

1929. *Un cuarto propio*

¿Por qué hay tan pocos libros escritos por mujeres a lo largo de la historia de la literatura? En su clásico ensayo, la escritora inglesa Virginia Woolf resuelve en enigma: las mujeres son más pobres y hay indiferencia y hostilidad hacia lo femenino.

1930. *Primera reasignación de sexo de la historia*

El pintor danés Einar Mogens Wegener es la primera persona que se somete a varias operaciones de reasignación de sexo, tras las cuales toma el nombre de Lili Elbe. Es en Alemania, bajo la supervisión de Magnus Hirschfeld, pionero en la investigación de la transexualidad. Anteriormente, en 1921 también Hirschfeld había operado a Dora R.

1948. El «Comportamiento sexual del hombre» te da sorpresas

En sus estudios sobre sexualidad, Alfred Kinsey es pionero en incorporar la diversidad sexual, la homosexualidad y la bisexualidad. La publicación del *Comportamiento sexual del hombre* resulta una sorpresa para la sociedad, pues dice que las prácticas homosexuales no son algo marginal sino que se dan en un porcentaje considerable de la población. En 1953, publica el volumen dedicado a la sexualidad de las mujeres. Los estudios del Instituto Kinsey, en los años 60 y 70, consideraban que es la sociedad la que produce la imagen de la sexualidad frente a la idea del psicoanálisis, que consideraba que esta es innata. Las investigaciones realizadas por este instituto se consideran otro de los precursores de la teoría queer.

EL TOTALITARISMO SE EXTIENDE POR EUROPA

1931-1945. Persecución a homosexuales en la Alemania nazi

La homosexualidad es contraria a los principios nacionalsocialistas, pues no reproduce la raza aria. Los hombres homosexuales son llevados a campos de concentración y marcados con un triángulo invertido de color rosa que cosen en sus ropas. Allí se experimenta con ellos para encontrar el «gen homosexual» con la idea de «curar» a futuros alemanes. Se estima que entre 15.000 y 600.000 homosexuales son asesinados. La cifra varía al contar o no a los judíos.

Década de 1930. Leyes antihomosexuales en la URSS

De manera similar a los nazis, se entiende la homosexualidad como una degeneración, ligada a la decadencia moral de la burguesía. No era algo que iba contra la naturaleza sino contra la sociedad. Esta concepción se extiende a países afines, colindantes con la Unión Soviética y China.

1936. Asesinato de Federico García Lorca

En España, durante la Guerra Civil y posteriormente bajo la dictadura de Francisco Franco, con una fuerte influencia ideológica de la Iglesia católica, también se persigue la homosexualidad con leyes como la de peligrosidad y rehabilitación social. Algo similar sucede en Italia con Benito Mussolini, período en que las personas homosexuales son desterradas y enviadas a pequeñas islas italianas.

· 1945-1980 ·

RETROCESOS TRAS LA II GUERRA MUNDIAL

1945-1960. Movimiento homófilo

Tras la II Guerra Mundial surge este movimiento, que pretende cambiar la imagen negativa y promiscua que la sociedad tenía de la homosexualidad. El término *homófilo* viene del griego, significa «filia y amor a los iguales», y se usa para enfatizar la parte del amor por encima de la sexual. Se considera que fue un movimiento bastante moderado que pretendía convencer a la sociedad de que las personas homosexuales eran «normales y de fiar». Su misión no se centraba en transformar el orden social. Claro que salir del armario suponía correr el riesgo de acabar en la cárcel.

1946. Se crea la organización LGTB+ más antigua del mundo

El Center for Culture and Recreation (COC), creado en Holanda, refleja el miedo de hablar abiertamente de homosexualidad que existía en este período. Aparentemente, el mismo nombre de la organización no parece que tenga relación con la comunidad LGTB+. Hoy en día sigue activa.

1952. La homosexualidad como trastorno

Tras la guerra, con la idea de volver a la situación social anterior, la homosexualidad es vista como una traición, una debilidad, una lacra para el crecimiento de la población. Cobra sentido que, en este clima en el que también las corrientes psicoanalíticas ganan fuerza, la Asociación Estadounidense de Psiquiatría incluya en 1952 la homosexualidad en el *Manual diagnóstico y estadístico de los trastornos mentales* (conocido como DSM) entre los desequilibrios emocionales patológicos.

Década de 1950. Butch y femme como mecanismos de supervivencia

Como reflejo de las estrictas categorías sexuales que se dan en la sociedad de postguerra, las lesbianas desarrollan roles de género extremadamente rígidos. ¿Te suenan las butch y las femme? Pues no era sino una forma de sobrevivir en una sociedad que marcaba la diferencia entre lo masculino y lo femenino como si esa fuera la forma «normal» de funcionar. No estaba bien visto que una mujer butch (con rasgos masculinizados) tuviera una relación con una mujer femme (con rasgos feminizados). Estos roles se hacen omnipresentes en las décadas de 1950 a 1970.

1955. Por fin una organización de lesbianas

Es bastante increíble que a estas alturas aún no hubiese aparecido en EEUU una organización centrada en la visibilización y lucha por los derechos de las lesbianas. Las Hijas de Bilitis se crea en 1955 en San Francisco, California.

TRES OBRAS FUNDACIONALES DEL FEMINISMO

1949. El segundo sexo

«No se nace mujer, llega una a serlo.» Es decir, la feminidad no es natural, es una construcción social. Esta es la conclusión a la que llega la filósofa francesa Simone de Beauvoir en su famoso libro *El segundo sexo*, una de las obras fundacionales del feminismo contemporáneo.

1963. La mística de la feminidad

El fin de la II Guerra Mundial da al traste con muchas de las conquistas que habían logrado las mujeres. Se las obliga a volver al hogar para ser buenas madres y esposas. Esto genera un malestar invisible que la estadounidense Betty Friedan nombra en el best seller *La mística de la feminidad*. Después funda la Organización Nacional para las Mujeres, máximo exponente de la corriente del feminismo liberal.

1969. Política sexual

Para acabar con el patriarcado hay que poner fin a las relaciones de dominación, que también atraviesan nuestro espacio íntimo y nuestras relaciones. Esta es una de las tesis de *Política sexual*, de la estadounidense Kate Millett. Así nace la corriente del feminismo radical, que busca no solo conquistar el espacio público con leyes de igualdad sino también transformar el espacio privado: la familia y la sexualidad.

SÍMBOLOS DEL MOVIMIENTO LGTB+

1969. Stonewall: punto de partida del movimiento de liberación LGTB+
Tras una redada policial en el bar Stonewall, en Nueva York, se suceden una serie de manifestaciones como protesta a la persecución indiscriminada de homosexuales. Stonewall supone un punto de no retorno en la lucha pro derechos LGTB+ no solo en EEUU, sino en todo el mundo. Sylvia Rivera es recordada como la transexual que da un taconazo a la policía en aquellos disturbios. Pero también al propio movimiento LGTB+, al evidenciar la desigualdad que lesbianas y personas transexuales viven dentro de la comunidad gay. Junto con Marsha P. Johnson, entre otras, funda la organización STAR (Street Transvestite Action Revolutionaries).

1978. Origen de la bandera arcoíris
Harvey Milk, influyente político y activista en la lucha gay que se convierte en el primer hombre abiertamente homosexual en ser elegido para un cargo público en EEUU, reta a Gilbert Baker a que cree algo que simbolice el orgullo de las personas LGTB+. La bandera ondea por primera vez en el Festival de San Francisco, que se celebra el 25 de junio de 1978. Después del asesinato de Milk, el 27 de noviembre de 1978, la reivindicación que simboliza la bandera coge más fuerza.

ACCIONES

1969. EEUU: No más Miss América
Hartas del machismo dentro de las organizaciones de izquierda y pacifistas, un grupo de mujeres crea el New York Radical Women. Su acción más sonada es cuando irrumpen en el concurso de belleza Miss América. Decenas de productos de belleza arden en llamas en la basura como forma de protestar contra un modelo de belleza excluyente y opresor.

1970. Francia: La esposa del soldado desconocido

«Una persona más desconocida que el soldado desconocido.» ¿Adivinas quién puede ser? Ni más ni menos que su esposa. Así reza la pancarta que un grupo de mujeres deposita en la tumba del soldado desconocido. El movimiento de liberación de la mujer irrumpe en la sociedad francesa, con diversos colectivos independientes de los partidos de izquierda.

1971. Reino Unido: Manifestaciones masivas

Miles de personas participan en las manifestaciones feministas de los años 70. Un ejemplo: la marcha que tiene lugar en Londres en 1971, la más importante desde la época de las sufragistas. Igual salario por igual trabajo, igualdad de oportunidades en la enseñanza y el empleo, anticonceptivos y aborto gratis, además de guarderías infantiles públicas, son algunas de sus reivindicaciones.

REIVINDICACIONES

1966. El fenómeno transexual

Esta obra del endocrinólogo Harry Benjamin desarrolla los primeros criterios de diagnóstico de la transexualidad. Benjamin es pionero en introducir el transexualismo, inspirado en los casos de Kinsey. Su obra sirve de fundamento al protocolo que posteriormente creará para el tratamiento médico de reasignación de sexo, en el que incluye parte psiquiátrica, endocrinológica y quirúrgica.

1971-1972. Derechos sexuales y reproductivos

El derecho a decidir si quiero ser madre; el derecho a vivir libremente mi sexualidad, o a conocer los procesos de mi cuerpo... Los derechos sexuales y reproductivos se incorporan a la agenda feminista en estos años. Destacan las protestas por el derecho al aborto, como el manifiesto *Yo he abortado* que cientos de mujeres firman en Francia en 1971, que denuncia la criminalización del derecho al aborto. En Egipto, Nawal el Saadawi escribe *Mujer y sexo* en 1972, una dura crítica contra la mutilación genital de las mujeres que le cuesta su puesto como directora general de Salud Pública. Mientras, en EEUU, el Colectivo del Libro de Salud de las Mujeres de Boston publica *Nuestros cuerpos, nuestras vidas*, donde hablan sobre orientación sexual, identidad de género, métodos anticonceptivos, aborto, parto, menopausia y violencia.

1972. Italia. Salario para el trabajo doméstico

Miles de mujeres trabajan de forma gratuita en sus hogares y no reciben ni un céntimo a cambio. No tienen ni vacaciones, ni derecho al paro o a la jubilación. Para luchar contra esta situación se impulsa desde Padua (Italia) una campaña internacional para dignificar el trabajo doméstico.

1977-1978. Reclama la Noche

Queremos disfrutar de la noche y poder hacerlo sin miedo. Esta es la reivindicación que da lugar al movimiento Reclama la Noche, marchas nocturnas con antorchas que se extienden por Reino Unido, Alemania e Italia.

Años 70. Women's Studies

Varias universidades americanas crean los primeros departamentos y programas de Estudios de la Mujer o Feministas, que se independizan como disciplina.

CORRIENTES

1970. Lesbianismo político

¿Por qué no se tienen en cuenta las reivindicaciones de las lesbianas en el movimiento feminista? El grupo Amenaza Violeta hace esta denuncia en el II Congreso para la Unidad de las Mujeres de Nueva York. Así nace el feminismo lésbico, con figuras como las escritoras Monique Wittig, Adrienne Rich o Audre Lorde. Ellas plantean que esta sociedad machista nos impone la heterosexualidad y nos impide disfrutar de nuestra sexualidad libremente.

1970. Feminismos negros

¿Qué pasa cuando el machismo se cruza con el racismo? ¿Y con las relaciones de clase? Esto plantean las feministas negras, que sienten que el feminismo dominante está demasiado centrado en las reivindicaciones de las mujeres blancas de clase media e ignora otras problemáticas. Esta corriente nace con la publicación del *Manifiesto de las mujeres negras* de la Alianza de las Mujeres del Tercer Mundo en 1970. Entre sus principales representantes están Angela Davis, Bell Hooks, Alice Walker, Patricia Hill Collins, Audre Lorde o Barbara Smith.

1975. Feminismo de la diferencia

No buscar la igualdad con los hombres, sino valorar y reconocer la diferencia sexual, así como las aportaciones de las mujeres a lo largo de la historia. Las feministas de la diferencia organizan grupos de autoconciencia, reivindican un saber femenino y crean espacios como la librería de mujeres de Milán en 1975. El movimiento florece en Italia y Francia, y tiene entre sus filas a Luce Irigaray, Hélène Cixous o Carla Lonzi.

1972. Ecofeminismo

Una sociedad justa debe liberar a las mujeres, pero también garantizar la sostenibilidad y el cuidado del medio ambiente. El feminismo se encuentra con el ecologismo y de su unión nace esta corriente, que se extiende por todo el mundo. En 1972, la india Gaura Devi organiza a las mujeres de su aldea para evitar que talen los árboles de su bosque, dando lugar al movimiento Chipko. Dos años después, la francesa Françoise d'Eaubonne acuña el concepto de *ecofeminismo*.

1981. Feminismo antimilitarista

En pleno auge de la Guerra Fría, las feministas deciden emprenderla con la lógica de guerra y la carrera armamentística y gritar: «No en nuestro nombre.» Destaca el campamento de Mujeres por la Paz en Greenham Common (1981-2000), que protesta contra la decisión de desplegar misiles de crucero en suelo británico, y el grupo Mujeres de Negro, que comienza su andadura en 1988. Mujeres de ambos territorios protestan por la ocupación de Palestina por parte de Israel.

LA AGENDA FEMINISTA ENTRA EN LA ONU

1975. Año internacional de la mujer
Entre 1975 y 1985, tiene lugar el decenio de la mujer, organizado por la ONU, con tres conferencias mundiales: México D.F. (1975), Copenhague (1980) y Nairobi (1985). El objetivo: hacer visible la desigualdad que afecta a las mujeres.

1979. Informes Sombra
187 países aprueban la Convención sobre la Eliminación de Todas las Formas de Discriminación contra la Mujer (CEDAW). Organizaciones feministas y de derechos humanos crean los Informes Sombra, que sirven para evaluar si sus países aprueban en equidad de género.

1995. La orientación sexual se incluye en la agenda
La orientación sexual no se había incluido en el debate de la ONU hasta la 4ª Conferencia Mundial por los Derechos de la Mujer.

2007. Cumplimiento de los derechos humanos
Con la redacción de los Principios de Yogyakarta se busca orientar a los estados para que cumplan las normativas y pongan fin a la violación de los derechos humanos de las personas por su orientación sexual e identidad de género, real o percibida, a nivel global.

· 1980-2017 ·

1981. ¿Quién es el paciente cero?
El 5 de junio de 1981, el Centro de Control y Prevención de Enfermedades de EEUU presenta el caso diciendo que se ha confirmado que «...cinco hombres jóvenes, todos homosexuales activos» presentan una serie de síntomas comunes, como por

ejemplo, manchas rojas en la piel. Nace así la era de la epidemia del VIH (virus de inmunodeficiencia adquirida), que causa el sida (síndrome de inmunodeficiencia adquirida). A pesar de no conocer su origen, se estigmatiza a las personas LGTB+ como sus causantes. ¿Será que la ciencia tampoco está libre de expresiones ideológicas y de prejuicios?

Años 80. El movimiento LGTB+ emerge frente a la crisis del sida

Como podrás imaginarte, la homofobia no tarda en florecer y empiezan a oírse cosas como el «cáncer rosa», «inmunodeficiencia relacionada con la homosexualidad» o «la plaga rosa», como si fuera un castigo de Dios a los homosexuales. El activismo responde y emerge con fuerza reivindicando el debate sobre prácticas sexuales y no sobre orientaciones sexuales, el tratamiento homofóbico de los medios de comunicación, la política o el sistema de salud.

1987. Hablemos de interseccionalidad

Kimberlé Crenshaw incorpora por primera vez el término *interseccionalidad*, para explicar cómo diferentes etiquetas o categorías sociales, principalmente las de minorías, interaccionan y se solapan en múltiples niveles, e incluso simultáneos, de opresión y discriminación.

1987-1994. Avance en derechos sociales

En algún momento hay que conseguir avances, ¿no? En esta década la lucha del movimiento LGTB+ alcanza algunos logros, relacionados con la equiparación de derechos. Es el caso de las uniones civiles, que aparecen a finales de los 80 y principios de los 90 en un buen número de países. Se trata de un certificado de la existencia de la relación entre dos personas del mismo sexo, ya que no pueden casarse. La adopción sigue siendo una asignatura pendiente.

1990. La homosexualidad no es una enfermedad mental

La homosexualidad sale de la lista de enfermedades mentales de la Organización Mundial de la Salud. Desde 2004, el 17 de mayo se celebra el Día Internacional contra la Homofobia y la Transfobia, también como denuncia de la discriminación aún existente. En 2015, se incorpora la bifobia al nombre de la campaña.

Años 90. Un giro decolonial del movimiento LGTB+

¿Te parece que todo es muy blanco, quizá de clase media y muy occidental? Desde la década de los 90, algunas corrientes dentro del movimiento LGTB+ empiezan a cuestionar la agenda mainstream (o predominante) del movimiento. Se pone el foco en que parece que se prioriza a las personas blancas, ignorando otras características y realidades. Se incorpora una mirada interseccional que incluye otras variables que afectan a la opresión como la raza, el género y el sexo; y, por ello, hay que luchar junto con los movimientos feministas, antirracistas y los movimientos decoloniales del Sur global.

1990. Primera manifestación del Orgullo en África

Se realiza un 13 de octubre en Johannesburgo, Sudáfrica, al finalizar la era del apartheid.

NUEVAS CORRIENTES

1984. Feminismo postcolonial

Cansadas de la imagen que se da de la «mujer del Tercer Mundo», como víctima y analfabeta, mujeres de todo el mundo dan lugar a esta corriente que analiza cómo el colonialismo se infiltra en nuestra visión y nuestras concepciones. Destaca la publicación de *Bajo los ojos de Occidente*, de la profesora hindú Chandra Talpade Mohanty.

1990. Teoría queer

¿Por qué la sexualidad tiene que reducirse a solo dos opciones: heterosexual y homosexual? ¿Puede ser el sexo una construcción social? La filósofa estadounidense Judith Butler plantea estas preguntas en *El género en disputa*, un texto fundacional de la teoría queer. Dos años después la francesa Monique Wittig escribe *El pensamiento heterosexual*, una fuerte crítica a la hegemonía heterosexual como marco simbólico de interpretación del mundo. En este sentido, todo lo creado desde el pensamiento heterosexual responde a su misma lógica, incluyendo la idea de la homosexualidad, que también se construye desde este pensamiento.

1994. Feminismo indígena y comunitario

Mujeres de territorios no occidentales toman conciencia de su opresión como mujeres y como pueblos colonizados y enriquecen el feminismo. Así surge el colectivo Mujeres Creando, que inunda Bolivia con su arte y sus grafitis y desarrolla el feminismo comunitario. En 1994, mujeres zapatistas impulsan una ley que reconoce los derechos de las mujeres, y se convierten en un referente de los movimientos de mujeres indígenas. Años después, en Guatemala, la Asociación de Mujeres Indígenas guatemalteca de Santa María Xalapán une la lucha contra la minería intensiva a la violencia machista.

2010. Feminismos árabes

En 2010, en Túnez, la bloguera Lina Ben Mhenni retransmite para el mundo la Revolución de los Jazmines, en la que la población se rebela contra un déspota y miles de mujeres protagonizan las protestas. Las revueltas se extienden a otros países árabes como Egipto, donde tras derrocar al dictador el nuevo régimen vuelve a excluir a las mujeres. La Unión de Mujeres Egipcias, prohibida por el régimen derrocado, reaparece para exigir que la igualdad entre mujeres y hombres rija en la nueva democracia.

NUEVAS FORMAS DE LUCHA

1985. Ciberfeminismo

La norteamericana Donna Haraway publica el *Manifiesto ciborg* y plantea que el ciberespacio es un lugar a conquistar para las feministas, en el que podemos transformar los roles de género tradicionales. Hoy en día miles de feministas utilizan Internet y las redes sociales para difundir sus mensajes.

Años 90. Arte y activismo

Cansadas de ser groupies y fans, mujeres estadounidenses crean grupos de punk feminista y reinventan la escena en el movimiento Riot Grrrl de los años 90. En 2012, sus herederas, el grupo punk Pussy Riot, son encarceladas en Rusia por interpretar una canción en una iglesia. En el mundo del arte, armadas con máscaras de gorila y grandes dosis de sentido del humor, las Guerrilla Girls denuncian la ausencia de creadoras.

1995. Alianzas internacionales

El feminismo se vuelve global y mujeres de todo el planeta se unen para trabajar juntas. En 1995, se celebra en Canadá la I Marcha Mundial de Mujeres para exigir justicia económica. La marcha se repite desde entonces cada cinco años en diferentes partes del mundo. Ese mismo año, se celebra en Beijing la IV Conferencia Mundial de las Mujeres de la ONU, a la que acuden 40.000 mujeres. Se generaliza el término *gender mainstreaming*, que implica incluir la perspectiva de género de manera transversal en todos los ámbitos.

2009. Alianza LGTB+. Transfeminismo

El feminismo encuentra sinergias con la lucha LGTB+ (lesbiana, gay, trans, bisexual y queer): se inicia la campaña internacional Stop Trans Pathologization para que las personas trans no sean consideradas enfermas.

VIOLENCIAS MACHISTAS

1991. Mi jefe me acosa

La abogada Anita Hill se atreve a denunciar a su jefe, nada menos que el magistrado de la Corte Suprema de EEUU, Clarence Thomas, por haberla agredido sexualmente. Hill pone sobre la mesa un problema que afecta a miles de mujeres de todo el mundo y se convierte en un símbolo.

2000. Cuerpos sexuados

Anne Fausto-Sterling escribe *Cuerpos sexuados: la política de género y la construcción de la sexualidad*. En él critica cómo la comunidad médica ha politizado el cuerpo y demuestra que la ciencia no está exenta de expresiones ideológicas. Fausto-Sterling cuestiona este pensamiento dicotómico (o binario) relativo al sexo. Inicia el texto con el caso de María Patiño, vallista española expulsada de los mundiales de Kobe de 1985 por no pasar el control de verificación de género. Este test sexual, que curiosamente no se aplica a los atletas masculinos, consiste en comprobar si una atleta es elegible para competir en un deporte limitado a un solo sexo.

2009. Lucha contra el feminicidio

La Corte Interamericana de Derechos Humanos condena por primera vez a un país, México, por tener responsabilidad en la violación de derechos humanos por motivos de género, es decir, por feminicidio, en Ciudad de Juárez.

2015. Transfeminicidio

Diana Sacayán es brutalmente asesinada en octubre de 2015 en Buenos Aires. Diana era una reconocida activista en la lucha por los derechos trans no solo en Argentina sino a nivel internacional.

Su recorrido político y activista deja huella para futuros logros del colectivo LGTB+, incluso con su muerte, desde la que se reclama la acción de la justicia frente a los asesinatos de personas trans.

2016. Actuemos para acabar con la violencia contra personas LGTB+

El Consejo de Derechos Humanos de la ONU aprueba, con bastante oposición, un cargo centrado en la protección contra la violencia basada en la orientación sexual y la identidad de género.

2016. Violencia sexual, crimen contra la humanidad

Quince mujeres guatemaltecas que habían sido violadas y esclavizadas por militares llevan a sus agresores a juicio en el caso Sepur Zarco. Por primera vez, se juzgan estos delitos en un tribunal nacional y se consigue que la violencia sexual sea considerada como un delito de lesa humanidad.

2001-2017. Matrimonio entre personas del mismo sexo

El matrimonio igualitario no es solo un avance en cuestión de equiparamiento de derechos sino también social. Los Países Bajos son pioneros aprobando la ley en 2001. Luego vinieron otros como Canadá en 2005 y en 2013, Uruguay. Esperemos que en 2020 la lista de 25 países haya aumentado después de Australia en 2017.

LUCHAS Y CONQUISTAS DEL MOVIMIENTO TRANS

2007. Un cuerpo de hombre embarazado

El embarazo de Thomas Beatie crea un precedente en la capacidad de las personas transgénero para ejercer su derecho constitucional a reproducirse.

2009. Por la despatologización trans

La patologización de la transexualidad es violencia de género institucionalizada. Es como si hubiese un certificado psiquiátrico que aprueba las formas «sanas» y «normales» frente a las «enfermas» y «anormales» de masculinidad y feminidad. Ese año, la campaña internacional Stop Trans Pathologization crea el Día Internacional de Acción por la Despatologización Trans.

2009. Movilización trans mundial

Cuarenta ciudades de todo el mundo se movilizan el 17 de octubre, un éxito histórico para el movimiento trans y sus reivindicaciones, que va encontrando apoyos de diferentes colectivos, médicos y psiquiatras, académicos y muchas más personas de todo el planeta.

2015. Stop Trans Pathologization 2015

Esta red cuenta con más de 397 grupos, redes activistas, instituciones públicas y organizaciones políticas de los cinco continentes. Actualmente, la campaña está centrada en la retirada de la categoría «Trastornos de la identidad de género» del capítulo V sobre «Trastornos mentales y del comportamiento», de la próxima edición de la CIE (Clasificación Internacional de Enfermedades), prevista para 2018.

FEMINISMOS Y LGTB+ EN ESPAÑA

En España el movimiento feminista surge un poco más tarde que en otros países, a comienzos del siglo XX, cuando aparecen las primeras organizaciones que reivindican el sufragio. Durante las tres primeras décadas del siglo, se van conquistando poco a poco numerosos derechos como el voto, el divorcio o el acceso a la educación. Sin embargo, estos logros se desmantelan con la dictadura franquista, que impone la vuelta de las mujeres al hogar y a la familia. En los años 70, el movimiento resurge con fuerza y logra importantes cambios legales y sociales que transformarán a la sociedad española.

Por su parte, el movimiento homosexual no está tan organizado en España en las primeras décadas del siglo XX como en otros países europeos, como Alemania. Sin embargo, sí que está presente en espacios intelectuales y de la cultura. Las reivindicaciones de las primeras décadas se centran en la libertad de expresión de la orientación sexual y el reconocimiento de derechos sociales. Los últimos años de la dictadura ven nacer, aunque en la clandestinidad, las primeras organizaciones LGTB+, que luchan por crear nuevas leyes antidiscriminación y modificar las existentes.

En la actualidad, cuestiones como la lucha contra todas las violencias machistas y heteropatriarcales, el reparto de los cuidados, el reconocimiento de las disidencias sexuales y otras formas de expresión de la identidad de género, o la despatologización de la transexualidad, son algunos de los retos pendientes en la agenda política.

· SIGLO XIX ·

1822. Código Penal

Ese año se publica el primer Código Penal que no incluye la sodomía como delito. Aunque volverá a aparecer poco después, en 1848 se elimina definitivamente y se mantiene así en las siguientes versiones. Pero la interpretación subjetiva de otras leyes, como la de «escándalo público» o la de «faltas contra la moral, el pudor y las buenas costumbres», provoca que sean aplicadas de manera diferente a las personas homosexuales.

1841. Ir a clase vestida de hombre

¿Que no me dejan ir a la universidad por ser mujer? Pues me visto de hombre y voy a clase. Dicho y hecho: en 1841, una joven llamada Concepción Arenal comienza a asistir a clases de Derecho de esta guisa. Tras descubrirse su verdadera identidad, Arenal consigue que le dejen acudir como oyente. Con el tiempo, esta ensayista y escritora se convertiría en una de las pioneras del feminismo en España, con obras como *La mujer del porvenir* (1869), en la que defiende la capacidad intelectual de las mujeres y su derecho a la educación.

Clara
Campoamor

Federica
Montseny

Teresa
Claramunt

Concepción
Arenal

Lorca

Emilia
Pardo

1876. El derecho de las mujeres a la educación

Ese año nace la Institución Libre de Enseñanza, proyecto pedagógico que defiende la educación de las mujeres. Otras instituciones en esta línea son la Asociación para la Enseñanza de la Mujer (1870) y la Junta para la Ampliación de Estudios (1907). En 1910, estos esfuerzos dan sus frutos y la universidad española por fin admite a las mujeres.

1892. Tú no puedes estar aquí

Tres veces, tres, le negaron a la escritora y periodista Emilia Pardo Bazán su ingreso en la Real Academia Española, a pesar de sus evidentes méritos. Lejos de venirse abajo, doña Emilia se dedica a vivir libremente, escribir, viajar y participar en sociedad. Uno de sus campos de batalla es la defensa de los derechos de las mujeres, que se recogen entre otras en *La biblioteca de la mujer* (1892).

· COMIENZOS DEL SIGLO XX · GUERRA CIVIL ·

1901. Lo que hay que hacer para casarse

Es la primera vez que se tiene constancia registral de un matrimonio de una pareja del mismo sexo. El 8 de junio, en A Coruña, Marcela Gracia Ibeas y Elisa Sánchez Loriga contraen matrimonio al hacerse pasar una de ellas por un hombre. Al final son descubiertas y tienen que huir de España por las presiones homófobas y la amenaza de ser juzgadas.

1913. Reivindicaciones de las obreras

Las mujeres obreras se organizan para mejorar sus condiciones laborales. En Barcelona, en julio de 1913, entre 13.000 y 22.000 mujeres impulsan la huelga general del textil, y en 1918, miles de mujeres protagonizan los disturbios del pan, ya que protestan por la subida de precio de los alimentos básicos. Destacan mujeres como la catalana Teresa Claramunt, pionera del feminismo obrerista anarquista.

1915. Residencia de Señoritas

¿Te suena la Residencia de Estudiantes? Como esta era solo para varones, en 1915 abre sus puertas la Residencia de Señoritas, que sigue su estela y fomenta la educación universitaria para mujeres. La siguen organizaciones como la Asociación de Mujeres Españolas Universitarias (1920) o el Lyceum Club Femenino (1926). Este último, presidido por la pedagoga María de Maeztu, es un espacio de encuentro y debate para las intelectuales de la época.

1920 - 1936. La vida intelectual y cultural en las ciudades

Los cafés, círculos de debate o las residencias de estudiantes son espacios de encuentro para las personas LGTB+. Lucía Sánchez Saornil, una de las creadoras de Mujeres Libres, es de las primeras en explicitar el deseo homosexual lesbiano en la poesía española, pero tiene que usar un pseudónimo masculino. Mantuvo una relación pública con América Barroso. En 1936 se publica *El joven marino*, escrito por Luis Cernuda, que junto con los *Sonetos de amor oscuro* de Federico García Lorca, son algunos de los poemas de amor más bellos de la poesía española.

1928. Se reintroduce la homosexualidad como delito

Durante la dictadura de Primo de Rivera se incluyen en el Código Penal los «abusos deshonestos entre hembras» y «actos contrarios al pudor con personas del mismo sexo» que son sancionados con multas y/o cárcel.

1931. Llega la II República

Clara Campoamor, Victoria Kent y Margarita Nelken se convierten en 1931 en las tres primeras diputadas en la historia de España. Paradójicamente, pueden ser elegidas, pero no pueden votar, ya que todavía no se había reconocido el voto femenino. Más tarde, la

Constitución de 1931 reconoce el principio de igualdad constitucional entre hombres y mujeres, el derecho al divorcio y despenaliza el aborto. Además, en la II República se pone en marcha la educación mixta, que junta en las aulas a niñas y niños.

1931-1936. El sufragio femenino

Tras agrios debates y encendidas polémicas, las Cortes españolas aprueban el derecho al voto de las mujeres. Esta victoria le debe mucho a la diputada Clara Campoamor, que se dejó la piel para conseguir el sufragio. Por fin, en las elecciones de 1933, las mujeres españolas votan por primera vez.

1932. Y vuelta a despenalizar la homosexualidad

Con la II República recién proclamada, se dan algunos pasos importantes para acabar con la discriminación de las personas LGTB+, como la eliminación de la homosexualidad del Código Penal.

1936. Milicianas y ministras

Cuando se desata la Guerra Civil, las mujeres se organizan para defender la II República en el frente y en la retaguardia. Muchas se incorporan a las milicias como combatientes y organizaciones como la Agrupación de Mujeres Antifascistas y la Agrupación de Mujeres Libres realizan labores de asistencia en los frentes de batalla y auxilio a los soldados. Mientras, el gobierno republicano acoge entre sus filas a la anarquista Federica Montseny, que se convierte en la primera ministra en España (y una de las primeras en Europa), con la cartera de Sanidad y Asistencia Social.

1936 - 1939. La persecución al homosexual

Aunque no conste que fuera una práctica abierta de los nacionales, la sospecha de homosexualidad potenciaba la posibilidad de encarcelamiento y/o fusilamiento. El ejemplo más conocido es el del poeta Federico García Lorca, abiertamente homosexual. La denuncia de Ruiz Alonso por «rojo y maricón» lleva a la detención y posterior ejecución de Lorca.

· FRANQUISMO Y TRANSICIÓN ·

1939. Se instaura la dictadura franquista

La dictadura franquista suprime los derechos que con tantos esfuerzos habían conquistado las mujeres en las décadas anteriores. Se niega la igualdad entre mujeres y hombres y, a través de la educación, las leyes e instituciones como la Sección Femenina, se proclama que el lugar de las mujeres es el hogar. Muchas mujeres y hombres no se resignan y se unen a la oposición al franquismo, militando en los partidos y sindicatos en la clandestinidad. La dictadura también se esfuerza en perseguir la disidencia sexual y de género. La interpretación subjetiva de leyes ambiguas y la creación de nuevas que convierten la orientación homosexual en un delito lleva a que miles de personas LGTB+ sean encarceladas, llevadas a campos de concentración, desterradas o recluidas en centros psiquiátricos o sanatorios donde «tratarlas» y «curarlas».

1954. La homosexualidad entra en la ley de Vagos y Maleantes

La interpretación de esta ley, junto a la de Escándalo Público, se usa de forma sistemática para la represión de las personas LGTB+. La homosexualidad, por el momento, aún no es delito. Sin embargo, al ser incluida en esta ley, supone el encarcelamiento de hombres simplemente por el hecho de ser homosexuales. Dada la «invisibilidad» o no reconocimiento de las mujeres lesbianas, la represión sobre ellas es de carácter ideológico y se ejerce a través de la familia, la Iglesia o las instituciones. Se les rapa la cabeza como forma de humillación y castigo, se las recluye en las casas, se les imponen matrimonios, ante lo que ellas se ordenan como monjas para escapar, o en instituciones psiquiátricas y sanatorios.

1958. *Modificación del Código Civil*

Gracias a la acción de abogadas como Mercedes Formica, se consigue modificar el concepto de *vivienda del matrimonio*, que pasa de ser la «casa del marido» a «hogar conyugal». De esta forma, se limitan los poderes casi absolutos que tenía el marido para administrar los bienes del matrimonio.

1965. *MDM y amas de casa*

Nace el Movimiento Democrático de Mujeres, una de las primeras organizaciones de mujeres, vinculada al Partido Comunista de España. De 1971 a 1975, organiza boicots a los mercados y huelgas de compras para protestar contra las subidas de precios. Esa misma década, las asociaciones de amas de casa y vecinales salen a la calle. Denuncian que la cesta de la compra cada vez es más cara y exigen mejores condiciones de vida en los barrios.

1970. *Vuelta al pasado: los «actos homosexuales» son delito*

La Ley de Peligrosidad y Rehabilitación Social considera los «actos homosexuales» como un delito. Entre las medidas de seguridad está el «internamiento en un establecimiento de reeducación», que consiste en terapias de aversión, como descargas eléctricas, para reorientar la sexualidad de los prisioneros gays. Se estima que, durante el franquismo, se detiene a cerca de 5.000 personas y se desconoce a cuántas se encarcela en las prisiones de Badajoz y de Huelva. Aunque parezca increíble, en estas prisiones se divide a los presos en función de si son «activos» o «pasivos». Hay pocos datos acerca de mujeres procesadas, pero sí se conoce la existencia, en la prisión de Málaga, de un ala destinada a segregar a las mujeres que mantenían relaciones sexoafectivas o sexuales con otras mujeres.

1970-1975. Activismo desde la clandestinidad: primeras organizaciones LGTB+

En 1970, surge en Barcelona el Movimiento Español de Liberación Homosexual (MELH). Francesc Francino y Armand de Fluvià se ocultan tras los seudónimos Mir Bellgai y Roger de Gaimon para luchar en defensa de los derechos homosexuales. En 1972, crean el boletín Aghois (Agrupación Homosexual para la Igualdad Sexual), que tiene que enviarse a Francia para poder distribuirlo en España. Se disuelve en 1974 debido al acoso policial, pero un año después aparece el Front d'Alliberament Gai de Catalunya (FAGC), que continúa con la lucha por conseguir la modificación de leyes discriminatorias y el avance en derechos. El FAGC es legalizado en 1980.

1970. Asociación de Mujeres Juristas

Creada por la abogada María Telo, impulsa la reforma del Código Civil y la eliminación, en la ley de relaciones laborales, del derecho del marido de cobrar el salario de su esposa.

1971. Es un defecto físico o una enfermedad

En la orden número 45 del ministerio de Educación y Ciencia, anexo I, se considera que «el homosexualismo y la intersexualidad, en tanto que defecto físico o enfermedad, impiden ejercer de maestro en enseñanza primaria».

1975. Año Internacional de la Mujer

Proclamado por la ONU, este evento da un gran impulso al movimiento feminista español. El pistoletazo de salida son las I Jornadas de Liberación de la Mujer, celebradas del 6 al 8 de diciembre. ¿Participamos solo en el feminismo o también en un partido o sindicato? Esta pregunta da lugar a las dos principales tendencias del momento, entre quienes apuestan por la doble militancia o la militancia única.

1975. Los «peligrosos sociales» no pueden estar en libertad

Ni el indulto de 1975 ni la amnistía de 1976 ponen en libertad a las personas LGTB+, que representan el 7,68% de la población reclusa y son, en su mayoría, hombres gays y transexuales. La privación de libertad en su caso no se consideraba un castigo o pena sino una medida de seguridad.

1976. Primer Centro de Planificación Familiar

Durante la dictadura los anticonceptivos son ilegales y se prohíbe dar información sobre salud sexual y reproductiva. Ante esta situación, las feministas se organizan y crean los Centros de Planificación Familiar. En ellos pasan consulta e informan sobre anticonceptivos, sexualidad, etc. El primero nace en Madrid pero poco a poco van surgiendo otros en Barcelona, Málaga o Bilbao. Destaca la figura de la ginecóloga Elena Arnedo, pionera en la defensa de los derechos sexuales y reproductivos de las mujeres.

1976-1977. Las calles bullen con manifestaciones y campañas feministas

Las reivindicaciones feministas toman las calles: ¡queremos educación sexual, anticonceptivos libres y gratuitos, derecho al divorcio y al aborto! También se reclama la amnistía de mujeres encarceladas por cometer adulterio, practicar abortos o ejercer la prostitución. En

1976, se celebra por primera vez el 8 de marzo con una manifestación feminista, que tiene por lema «Mujer: lucha por tu liberación».

1977. *Tomar las calles: primera manifestación LGTB+*

El 26 de junio, unas 5.000 personas se aglutinaron en las Ramblas de Barcelona bajo lemas como «Amnistía sexual», «No somos peligrosos» o «Mi cuerpo es mío y hago con él lo que me da la gana». Esta manifestación, organizada por FAGC a pesar de no estar permitida, es duramente reprimida por la policía con algunas detenciones y numerosas personas heridas. Esto es solo el inicio de la lucha en las calles. El año siguiente, el Frente de Liberación Homosexual de Castilla (FLHC) convoca el 28 de junio la manifestación más numerosa hasta el momento, con 10.000 personas.

1978. *Algo de aire con la Constitución española*

El artículo 14 de la Constitución proclama la igualdad de todas las personas ante la ley y prohíbe la discriminación por razón de sexo o cualquier otra condición o circunstancia personal. Esto permite prohibir la discriminación por ser homosexual o mujer, y desencadena una serie de reformas legales para adecuarse al principio constitucional de igualdad.

1978. *Reformas del Código Penal*

En enero se aprueba la despenalización del adulterio y el amancebamiento, derogando los artículos 449, 452 y 453 del Código Penal. En abril el Congreso aprueba la despenalización de los anticonceptivos.

1979. *«Yo también he abortado»*

El aborto sigue siendo un delito y muchas de las mujeres que lo practican acaban en la cárcel. En 1979, ante el juicio a once mujeres acusadas de prácticas abortivas, se pone en marcha la campaña «Yo también he abortado». En ella, 1.300 mujeres se autoinculpan (dicen que también han cometido ese delito) y se entrega al juez un escrito con 25.000 firmas pidiendo la amnistía para las acusadas.

1979. La homosexualidad deja de ser un delito

Hay que esperar hasta 1979 para que se borre del texto de la Ley de Peligrosidad y Rehabilitación Social. Incomprensiblemente, algunas personas todavía son encarceladas en plena democracia por este motivo. Su derogación total no llega hasta 1995, y solo años después las personas represaliadas comienzan a exigir la destrucción de los expedientes de peligrosidad social.

1979. II Jornadas Feministas Estatales en Granada

Nuevo encuentro del movimiento feminista, en el que se empiezan a perfilar las que serán las principales corrientes en la siguiente década: el feminismo de la igualdad y el de la diferencia. El primero considera que feminidad y masculinidad son construcciones culturales que hay que luchar por deshacer, y apuesta por el trabajo institucional. El segundo considera que mujeres y hombres son diferentes y apuesta por revalorizar la diferencia sexual.

· 1980 - 2017 ·

1980-1987. Autoafirmación lésbica

Celebradas en junio de 1980 en Madrid, las I Jornadas de Lesbianas promueven que estas se organicen de forma independiente al movimiento gay. El año siguiente, se crea el Colectivo de Lesbianas Feministas de Madrid, que convoca el 23 de enero de 1987 en Madrid La Besada como protesta frente al arresto de dos mujeres por besarse en público. Desde entonces, esta besada se repite todos los años. Ese mismo año se celebra el I Encuentro Estatal de Lesbianas en Barcelona.

1981-1985. Leyes y reformas institucionales

El principio de igualdad de mujeres y hombres en la Constitución tiene consecuencias legales. Se reforma el Código Civil para adaptar las leyes relativas al matrimonio y en 1981 se aprueba por fin la ley del divorcio. Tras una larga lucha, en 1985 se aprueba la Ley Orgánica 9/1985, que despenaliza el aborto en tres supuestos. En 1983 se crea el Instituto de la Mujer y en 1988, la Universidad Complutense de Madrid funda el Instituto de Investigaciones Feministas.

Años 80. La Movida Madrileña

Este movimiento contracultural tiene una influencia profunda en la libertad de expresión de la homosexualidad que, por primera vez, no es prohibida por el Gobierno.

Años 80. Contra las violencias machistas

El movimiento feminista es el primero en denunciar que la violencia no tiene que formar parte de las relaciones de pareja o coartar la libertad sexual de las mujeres. Se crean las comisiones antiagresiones para denunciar la violencia machista y apoyar a las mujeres que la sufren. Presionan al Gobierno para que cree servicios de atención a las víctimas y para que se emprendan reformas legislativas.

1981. Primer caso diagnosticado de sida en España

Se diagnostica en octubre en el Hospital Vall d'Hebron de Barcelona. En aquel momento no se habla de sida como tal y no se conoce bien qué es lo que lo provoca. Sin embargo, la opinión pública asocia la enfermedad con la homosexualidad. Esto implica un rebrote de la homofobia que golpea duramente al colectivo LGTB+, provocando su desmovilización. Una movilización que, sin embargo, resurge con fuerza en los 90.

1986. Derechos de las trabajadoras domésticas

Nace la Asociación de Trabajadoras del Hogar, impulsada por la Asamblea de Mujeres de Bizkaia. ¿Su objetivo? Equiparar los derechos de las trabajadoras domésticas a los del resto de trabajadores, ya que no se les reconoce el derecho al desempleo, a un convenio o a un contrato individual de trabajo.

1987. La adopción pasa a ser un derecho individual

No solo es importante que se reconozca este derecho a las parejas de hecho heterosexuales. Además, incluir a personas individuales significa, *a priori*, una apertura a que lesbianas y gays puedan tener esta posibilidad. También en los casos de acogimiento.

1988. Por fin se retira el escándalo público

A pesar de su derogación, no significa que no sigan dándose interpretaciones ambiguas y fallos de jueces homófobos.

1988. Debates sobre prostitución y pornografía

En las Jornadas Feministas en Santiago de Compostela, se dan encendidos debates sobre cómo abordar la prostitución y la pornografía. ¿Hay que abolirlas, pues son violencia contra las mujeres? ¿O las consideramos un trabajo y las regulamos?

1988. Las mujeres pueden decidir por sí mismas en la Ley de Reproducción Asistida

Se retira la condición de acceso solo a mujeres casadas con consentimiento de su marido. Esto abre la posibilidad a que, aunque no se mencionan expresamente las lesbianas, las mujeres de forma individual puedan solicitar estas técnicas.

Décadas 1990-2000. Multiplicidad de colectivos feministas y LGTB+

En esta década y en la siguiente, surgen una gran diversidad de grupos feministas y LGTB+ vinculados a diferentes realidades y temáticas: grupos antimilitaristas, asociaciones de transexuales, redes de mujeres inmigrantes, colectivos queer y LGTB+, grupos de mujeres en la universidad o vinculados a la okupación, colectivos de mujeres gitanas, revistas feministas o asociaciones de barrio.

1992. Fin de la identificación de las personas LGTB+

Te puede parecer increíble, pero hasta ese año, solo las personas no heterosexuales tenían que rellenar el dato sobre su sexualidad en los registros policiales. Aunque esto termina, la identificación sigue haciéndose de otras maneras. ¿Sabías que en las Olimpiadas de Barcelona en 1992 se cierran los «bares de ambiente» para dar una buena imagen al mundo? Como protesta, algunos bares cuelgan la bandera arcoíris.

1994. Algunos avances legales para parejas del mismo sexo

Se crea en Vitoria el primer registro en el que las parejas, independientemente de su composición, pueden registrar un contrato civil que certifica su relación afectiva. Luego le siguen otras comunidades autónomas. Que esto pudiera hacerse tranquilamente en cualquier punto del Estado no fue fácil. La propuesta no de ley presentada por el partido socialista en 1994 expira y no se llega a la ley de parejas de hecho hasta 2003.

1995. *Protección a la orientación sexual*

Así lo recoge el nuevo Código Penal en los artículos 510, 511 y 512, que considera la homofobia como agravante de delito.

2002. *Activismo queer y transfeminista*

Se publica en España el *Manifiesto* de Beatriz Preciado (luego Paul B. Preciado). Paco Vidarte lleva la teoría queer a la Universidad Nacional de Educación a Distancia y es pionero en impartir estos contenidos en las aulas.

2004-2010. *Legislación y nuevos derechos*

Nueva tanda de reformas legislativas a partir de 2004: ese año se aprueba la Ley Orgánica 1/2004, de medidas de protección integral contra la violencia de género, así como el reconocimiento del sufrimiento de las personas LGTB+ en el franquismo. En 2005, se aprueba el matrimonio entre personas del mismo sexo, la adopción conjunta, herencia y pensión. El año siguiente, la Ley 39/2006, de Promoción de la Autonomía Personal y Atención a las Personas en Situación de Dependencia. En 2007 se aprueba la Ley Orgánica 3/2007, para la Igualdad Efectiva de Mujeres y Hombres y la Ley de Identidad de Género, por la que las personas transexuales pueden cambiar su nombre y sexo en el DNI sin necesidad de operarse. Finalmente, en 2010 se aprueba la Ley Orgánica de Salud Sexual y Reproductiva y de la Interrupción Voluntaria del Embarazo, que despenaliza la práctica del aborto inducido durante las primeras catorce semanas del embarazo.

2005. *Congreso de Economía feminista*

I Congreso de Economía Feminista en Bilbao. Impulsados por la Red Estatal de Economía Crítica, los congresos se celebran cada dos años para debatir sobre economía desde una perspectiva de género.

2006. El «Orgullo es protesta»

Con la mirada puesta en la mercantilización y despolitización del movimiento, el Bloque Alternativo LGTBQI de Madrid busca recuperar el origen combativo y político del Día del Orgullo. En esta línea, Paco Vidarte publica en 2007 *Ética marica. Proclamas libertarias para una militancia LGTBQ*.

2008. ¿Dónde están las lesbianas? El tabú de los tabúes

¿Qué imagen tienes de una lesbiana? ¿Crees que hay lesbianas ancianas? ¿Ocupan cargos políticos o públicos? ¿Las ves por las calles, los bares, etc.? La cultura heteropatriarcal provoca que las mujeres LTBQI tengan que hacer un sobresfuerzo para ser vistas y tenidas en consideración, sin prejuicios ni estereotipos. Por ello, el 26 de abril de 2008 surge en España el Día de la Visibilidad Lésbica, que reclama el papel que ocupan las mujeres LTBQI en el espacio público.

2012-2017. Nuevas movilizaciones

Un gran movimiento de protesta consigue que se retire el proyecto de reforma de la ley del aborto, que pretendía volver a los supuestos de la ley de 1985, pero de forma más restrictiva. El 7 de noviembre de 2015, miles de personas salen a la calle para manifestarse en contra de las violencias machistas, convirtiendo la marcha en una de las más numerosas de los últimos años. En estos años, las movilizaciones feministas son cada vez más concurridas, y en ellas se pueden ver numerosas caras jóvenes que renuevan el movimiento.

2013. «La falta de varón no es un problema médico»

Con esta frase, la ministra de Sanidad, Ana Mato, justifica que las mujeres heterosexuales y lesbianas que decidan sobre su maternidad sin un hombre sean excluidas de la reproducción asistida. La lucha lesbofeminista no baja la guardia y consigue que se elimine esta restricción.

2015-2016. Logros de la lucha trans

En un ambiente de crispación y oposición, la lucha que las personas trans llevan realizando décadas por poner fin a un modelo de salud que patologiza y psiquiatriza el derecho a la identidad de género alcanza logros legislativos en varias comunidades autónomas. En 2014, aparecen las leyes de Andalucía y Canarias; en 2015, en Extremadura; y en 2016, en Madrid.

2017. Cuarenta años de lucha

La primera manifestación LGTB+ pública organizada, que no autorizada, cumple cuarenta años. Como reconocimiento se celebra en Madrid el World Pride. Estas cuatro décadas de lucha por la libertad de las disidentes sexuales y de otras identidades de género pueden verse reconocidas en una ley pionera: la Ley de Igualdad LGTBQI. Arranca en 2015, impulsada por la Federación Estatal de Lesbianas, Gays, Transexuales y Bisexuales (FELGTB), y en 2017 se registra en la Cámara Baja, donde está a debate. Esta ley propone reconocer el derecho a la autodeterminación de la identidad de género, la despatologización de la transexualidad, la protección de los y las menores trans o no normativas, o la garantía de plena igualdad en todos los ámbitos de la vida e instituciones.

PROTAGONISTAS
¿QUIÉN ES QUIÉN?

El feminismo, como el movimiento LGTB+, existe desde hace más de dos siglos en todos los rincones del planeta. Para muestra, un botón: en este capítulo puedes conocer algunos de los rostros de ambos movimientos.

Estas biografías son pinceladas de vidas dedicadas a la lucha de las mujeres y de las lesbianas, gays, trans y queer. Una pequeña muestra de la diversidad de épocas, lugares y temas abordados. Con el activismo LGTB+ se da, además, una situación curiosa: muchas de sus protagonistas aparecen en los libros de historia, pero no se nombra su orientación sexual. Así que hay que hacer un esfuerzo mayor para visibilizarlas y reconocerlas.

Ojo, que el listado es incompleto: no están todos los personajes que son; de hecho, solo se trata de una pequeñísima muestra de la historia. Es un mapa para que vayas completando en tu búsqueda e investigación feminista.

MARY WOLLSTONECRAFT

Inglaterra, 1759-1797

El Estado debe permitir a las mujeres practicar la medicina, llevar una granja, dirigir una tienda y vivir de su propio trabajo

La hiena con faldas

Esta escritora y filósofa inglesa es considerada una de las primeras feministas de la historia. Nació en el seno de una familia acomodada, aunque debido a los despilfarros de su padre, vivió momentos de penuria económica. Desde pequeña puso en práctica su inquietud feminista, ayudando a su madre en las discusiones con su padre y a sus hermanas en los abusos que sufrían a manos de otros hombres. Muy pronto desarrolló un pensamiento que desafiaba las normas sociales de la época, se oponía al matrimonio y cuestionaba al Estado.

Hablaba inglés, francés y alemán, era traductora y se relacionaba con los principales pensadores del momento. Se convirtió en ensayista y escritora, y de esta forma difundió sus rompedoras ideas y defendió el reconocimiento social y jurídico de las mujeres. En 1972 viajó a la Francia revolucionaria y publicó *Vindicación de los derechos de la mujer* (1792). Este libro es considerado como la obra fundacional del feminismo. En sus páginas denunciaba la situación de las mujeres en pleno siglo XVIII y negaba que fuesen inferiores por naturaleza. Declaraba que las mujeres eran «estúpidas», «superficiales» y «unos juguetes» a causa de la educación que recibían, lo que las hacía «más artificiales y débiles de carácter de lo que de otra forma podrían haber sido». La escritora enfatizaba la idea de que el Estado debía ofrecer una educación igual a niñas y niños, debía permitir a las mujeres realizar todas las actividades que se les permitía a los varones, y tenía que garantizarles los mismos derechos como ciudadanas.

En plena Ilustración, los planteamientos de Mary Wollstonecraft se enfrentaron al pensamiento de la época, por lo que fue criticada y difamada. Molestó tanto a los reaccionarios de su época que la llegaron a apodar «la hiena con faldas». Pero lo cierto es que esta mujer, que con 38 años dio a luz a quien luego sería Mary Shelley (la autora de la novela *Frankestein*), fue imprescindible para entender la lucha por los derechos de las mujeres a partir de entonces.

SIMONE DE BEAUVOIR
Francia, 1908-1986

«No se nace mujer, llega una a serlo»

La «biblia» del feminismo moderno

Simone de Beauvoir fue una escritora y filósofa francesa que defendió los derechos humanos y criticó la opresión de las mujeres. Nació en el seno de una familia burguesa con una moral cristiana muy estricta, pero desde muy joven se rebeló contra la fe familiar y se declaró atea, ya que consideraba que la religión era una manera de subyugar al ser humano. Otros dos acontecimientos familiares marcaron su trayectoria: la mala relación entre sus padres y el hecho de que su padre lamentara una y otra vez no haber tenido ningún hijo varón. No obstante, su padre era un apasionado por el teatro e inculcó a sus dos hijas la pasión por el estudio y la escritura.

Se convirtió en profesora y en escritora comprometida. Fue pareja a lo largo de toda su vida del filósofo Jean-Paul Sartre, pero decidieron no casarse, ni convivir en el mismo hogar, ni tener hijos, así como mantener relaciones sentimentales con terceras personas. Se convirtieron en una de las relaciones más representativas de la literatura francesa que rompía con el concepto de pareja que se tenía entonces.

En 1948 escribió *El segundo sexo*, una obra que se puede considerar algo así como la «biblia» del feminismo moderno. El libro partía de una pregunta: ¿qué ha significado en mi vida ser mujer? Así, empezó a pensar que la condición femenina no era algo biológico, sino que se aprende. Concluyó con una de las ideas centrales del feminismo: el papel que las mujeres desempeñan en la sociedad les viene impuesto no por una cuestión natural sino por la educación, las normas sociales, el papel de madre y esposa... El legado de esta obra contribuye a la teoría de género que, como decíamos en la introducción del libro, se definía como «el conjunto de normas sociales que dictan cómo debe comportarse una mujer y un hombre en todos los aspectos de su vida». Unas normas que, si no nos gustan, podemos cambiar.

En *El segundo sexo* también habló del cuerpo, de la homosexualidad, el matrimonio o la prostitución. Como suele pasar con las feministas que han desafiado las normas sociales, la obra recibió duras críticas cuando se publicó, pero en poco tiempo se convirtió en un libro imprescindible.

ANGELA DAVIS

EEUU, 1944.

Ser mujer es una desventaja en esta sociedad siempre machista. Imaginen ser mujer y ser negra. Cierren los ojos y piensen: ser mujer, ser negra y ser comunista. ¡Vaya aberración!

No solo existe el machismo, también hay racismo

Filósofa, política, activista, profesora de Historia de la Conciencia en la Universidad de California, exmiembro de las Panteras Negras, dirigente histórica del Partido Comunista de Estados Unidos. Con esa presentación, no hace falta decir que Angela Davis es considerada una de las grandes luchadoras en contra del racismo y a favor de los derechos humanos. Nació en Alabama, hija de una maestra y un mecánico de coches que eran activistas por los derechos civiles. Desde pequeña sufrió el racismo: el lugar donde vivía la familia se conocía como Dynamite Hill (colina dinamita) por el gran número de casas afroamericanas que eran asaltadas por el Ku Klux Klan.

En aquella época, la educación en el sur de EEUU era segregada: había escuelas para alumnado blanco y otras, con peor dotación y menores medios, para el negro o afroamericano. Angela Davis asistió a una de esas escuelas segregadas, pero gracias a una beca de una organización religiosa dirigida a estudiantes brillantes, pudo ir a estudiar a Nueva York y asistir a una escuela progresista y mixta. Este ambiente radical le permitió introducirse en el estudio del socialismo. Ahí comenzó una larga carrera de activismo, implicación política y docencia que todavía hoy continúa.

Durante los años 70 y 80, esta activista se dio cuenta de que el movimiento de liberación negro no tenía integrada la lucha por los derechos de las mujeres. También apreció que las feministas de entonces hablaban desde una identidad de mujeres blancas de clase media y no tenían en cuenta las discriminaciones que sufrían las afroamericanas o las mujeres pobres. Además, fue expulsada de la universidad donde era profesora por ser comunista. Así empezó a difundir la idea de que, para acabar con las desigualdades sociales, había que unir los conceptos de *género, clase, raza*. No se trataba de luchar solo contra el machismo sino también contra el capitalismo e imperialismo. Una reflexión que ha sido una gran enseñanza para los feminismos de todas las épocas.

KATE MILLETT
EEUU, 1934-2017

Lo personal es político

Transformar el ámbito privado

Kate Millett fue una escritora, escultora, feminista y defensora de los derechos humanos estadounidense. Hija de una familia católica de origen irlandés, estudió en las universidades de Minnesota y Oxford y se trasladó a Japón, donde conoció al escultor con quien se casó al regresar a EEUU y con el que convivió veinte años. Poco tiempo después de divorciarse, esta activista se unió al comité de NOW (Organización Nacional para Mujeres) y se declaró lesbiana.

«Lo personal es político» fue uno de los lemas del feminismo radical. Kate Millett lo incluyó en su obra *Política sexual*, la primera tesis doctoral sobre género que se hizo en el mundo. La escritora afirmaba que para luchar contra el patriarcado había que ir a la raíz, a las relaciones personales entre mujeres y hombres, a los espacios que no se consideraban políticos: la familia y la sexualidad. Ese enfoque daba un paso más en el movimiento feminista, que hasta entonces se había centrado en los derechos civiles, para enfocarse en las desigualdades reales, las que se dan en la vida sexual, el puesto de trabajo, la familia y los derechos reproductivos. En su libro, Kate Millett denunciaba el funcionamiento del sistema patriarcal, la autoridad ejercida por el hombre en la sociedad y en la cultura.

Para entender el legado de esta autora −considerada como una de las estadounidenses más influyentes del siglo XX− podemos leer sus palabras: «El amor ha sido el opio de las mujeres, como la religión el de las masas: mientras nosotras amábamos, los hombres gobernaban (...). Tal vez no se trate de que el amor en sí mismo sea malo, sino de la manera en que se empleó para engatusar a las mujeres y hacerlas dependientes, en todos los sentidos (...). Entre seres libres es otra cosa.»

ADRIENNE RICH

EEUU, 1929-2012

La lesbiana contenida que he llevado en mí desde mi adolescencia ha comenzado a despertar

Lesbianismo político y lesbofeminismo

Si te interesa la poesía, aquí tienes una poeta que no puedes dejar de leer. Escritora, lesbiana y feminista, Adrianne Rich es una de las poetas de habla inglesa más leídas y más influyentes de la historia. Su vida y su obra han ido unidas de manera inseparable: el hecho de reconocerse como lesbiana no fue algo anecdótico en su vida, sino una auténtica bandera para transformar el feminismo e intentar cambiar el presente y el futuro de las mujeres.

Adrianne Rich cuestionó la heterosexualidad como la forma natural y más deseable de amar, y lo hizo desde su propia experiencia. Estuvo casada casi veinte años con un economista con el que tuvo tres hijos, hecho que reflejó en su obra al plasmar las tensiones que había vivido como esposa y como madre. Años después se enamoró de una mujer con la que compartió el resto de su vida y reflexionó sobre cómo en nuestra sociedad nos educan para ser heterosexuales como única opción. Se convirtió en una de las precursoras del lesbianismo político y el lesbofeminismo. En uno de sus ensayos más famosos, *Heterosexualidad obligatoria y existencia lesbiana*, afirmó que ser lesbiana rompe con un tabú social y supone un rechazo de una forma obligatoria de vida.

Durante sus 82 años de vida publicó una prolífica obra de poemas y ensayos y recibió numerosos premios y galardones. También ejerció como profesora universitaria y activista por los derechos humanos y contra la guerra. Resulta difícil resumir su inmenso legado, pero sus propias palabras sintetizan bien su compromiso con el progreso y los derechos de las mujeres: «Una mujer que piensa duerme con monstruos.»

WANGARI MAATHAI
Kenia, 1940-2011

« Harambee es mi grito preferido. Significa 'todos a una' »

La mujer árbol

Wangari Maathai fue una bióloga y activista keniata, defensora de los derechos humanos, además de la primera mujer africana en ganar el Premio Nobel de la Paz. Bajo la idea de que «no podemos quedarnos sentadas a ver cómo se mueren nuestros hijos de hambre», lideró una revolución social y ambiental en Kenia con la creación en 1976 del Movimiento Cinturón Verde. Este programa de reforestación, protagonizado por mujeres, tenía como objetivo la capacitación de población rural para la plantación de árboles. La mujer árbol, como se la conoce en su país, entendía que los árboles son recursos necesarios para mejora de la calidad de vida de las personas. El cinturón verde se extendió y, con más de 30 millones de árboles plantados, ha traspasado las fronteras keniatas y ha llegado hasta nuestros días.

De Maathai el feminismo se lleva muchos aprendizajes. Su visión del empoderamiento ha sido fundamental para entender las luchas locales como parte de luchas globales. Sostenibilidad ambiental, descolonización y la toma de poder para decidir (no para dominar) han sido tres claves que comparte con otras luchas feministas africanas. Como reconoció el jurado que le concedió el premio Nobel en 2004, «su enfoque sobre el desarrollo sostenible abarca la democracia, los derechos humanos y los derechos de la mujer en particular».

El empoderamiento de Maathai implica que las mujeres tomen conciencia de sus capacidades, pierdan el miedo a romper el silencio, controlen sus recursos y protagonicen la toma de decisiones. Algo que ella llevó a la práctica en su propia vida comprometida e intensa. No en vano, su marido le puso una demanda de divorcio por «ser demasiado educada, tener demasiado carácter, ser demasiado exitosa y demasiado obstinada para ser controlada». Es una suerte que el juez no aceptara la demanda y que Wangari Maathai fuera una mujer libre para seguir su propio camino.

BERTA CÁCERES

Honduras, 1973-2016

Debemos acudir, la madre tierra, militarizada, cercada, envenenada, donde se violan sistemáticamente derechos elementales, nos exige actuar

Berta Cáceres no murió, se multiplicó

Este grito se extendió por el mundo tras el asesinato a tiros de una de las defensoras más reconocidas de los derechos humanos, los pueblos indígenas y el medio ambiente de finales del siglo XX y principios del XXI. En 2015, un año antes, Berta Cáceres, hondureña, indígena lenca y madre de cuatro hijos, había recibido el prestigioso premio Goldman Environmental en reconocimiento a una vida dedicada a la defensa ambiental y social.

¿Qué hizo esta activista para merecer dicho reconocimiento y para que su lucha le costara la vida? Actuar. Como ella misma decía, no quedarse quieta e intentar construir sociedades capaces de coexistir de manera justa. Sus palabras, tan bonitas como evocadoras, así lo explican: «Juntémonos, y sigamos con esperanza defendiendo y cuidando la sangre de la tierra y de sus espíritus.»

Para defender la tierra, Berta Cáceres fundó en 1993, junto con otras personas, el Consejo Cívico de Organizaciones Indígenas y Populares de Honduras (COPINH). En el COPINH, organizó a los indígenas lencas, una etnia de 400 personas que viven en condiciones de pobreza, en defensa de sus territorios amenazados por empresas hidroeléctricas y mineras. En los últimos años, lideró el movimiento de oposición a la represa Agua Zarca.

El nombre de Berta Cáceres se ha convertido en un icono de la lucha ambientalista en general y de las luchas ecofeministas en particular, aquellas que unen la defensa de la tierra con la defensa de los derechos de mujeres e indígenas. Esta mujer representa a cientos de personas que, cada año, son asesinadas en el mundo por defender el medio ambiente contra proyectos extractivistas de grandes empresas internacionales (multinacionales de minería, petróleo o gas). Las palabras de Berta Cáceres son un llamamiento a actuar ante esta situación: «Despertemos, humanidad. Ya no hay tiempo. Nuestras conciencias serán sacudidas por el hecho de estar solo contemplando la autodestrucción basada en la depredación capitalista, racista y patriarcal.»

PAUL B. PRECIADO

España, 1970.
«Soy trans y feminista.
Mi feminismo es el punk contracultural»

Teoría queer: conceptos y práctica

A Paul B. Preciado, antes conocido como Beatriz Preciado, se le ha definido como embajador de la Queer Nation, nómada, políglota, abanderado del debate sobre identidad de género... Este filósofo y escritor es todo eso y mucho más. También es activista feminista, artista, activista sexual, provocador, profesor universitario. ¿Te interesa la teoría queer? Pues Paul B. Preciado te va a encantar.

Preciado se formó en EEUU con una beca a finales de los 90, cuando la filosofía y los estudios culturales, influidos por los movimientos sociales, dieron lugar a la teoría queer y poscolonial. Posteriormente, trabajó durante diez años como profesor de Teoría del Género e Historia Política del Cuerpo en la Universidad de París VIII. De su trayectoria también destaca la mezcla de teoría, activismo y práctica artística, especialmente en el ámbito de los museos.

En su primer libro, *Manifiesto contrasexual*, se inspiró en Judith Butler, autora de *El género en disputa* y precursora de la teoría queer. Como contamos en otros apartados de este libro, esta teoría entiende que la identidad sexual y de género son una construcción social. El objetivo de Preciado es claro: «De la misma manera que Galileo rechazaba la idea de que el Sol girara en torno a la Tierra, yo intento rebatir la verdad natural de las identidades sexuales, raciales, nacionales.» Para este autor no hay dos sexos, y reducir la diversidad humana a las categorías hombre o mujer no responde a la realidad sino que categoriza las sexualidades en normales o perversas. El feminismo que defiende este filósofo intenta romper el dualismo y dar cabida a la multiplicidad y diversidad, dando importancia a las identidades marginadas y provocadoras.

CHIMAMANDA NGOZI ADICHIE
Nigeria, 1977

Todos deberíamos ser feministas

El feminismo sale del armario

Esta escritora, dramaturga, ensayista y profesora nigeriana escribió sus primeros cuentos a los siete años. Hija de un profesor y una secretaria, con 19 años marchó a EEUU para continuar sus estudios universitarios. Veinte años después, ha publicado tres novelas y varios ensayos en los que intenta romper las fronteras del género, y habla de estereotipos racistas y sexistas, de ser migrante en EEUU y de desarraigo. Todo ello le han valido el reconocimiento internacional y varios premios literarios.

Pero, sin duda, su enorme popularidad se debe a su ensayo *Todos deberíamos ser feministas* que primero ofreció en una charla TED y luego publicó de manera impresa. Con el estilo directo, humorístico y sencillo que le caracteriza, Chimamanda Ngozi Adichie habló de feminismo y discriminación sexual, haciendo accesible este movimiento a personas personas expertas y profanas. Atrajo incluso a celebridades como Beyoncé, que utilizó sus palabras en una de sus canciones del disco *Lemonade*, y el título del ensayo acabó impreso en camisetas por todo el mundo.

Esta feminista, que también ha tenido una gran influencia por su denuncia de los estereotipos racistas cotidianos que se reproducen en Occidente, vive entre Nigeria y EEUU. Recientemente, ha publicado *Querida Ijeawele. Cómo educar en el feminismo*, un libro carta dirigido a una amiga que le preguntaba cómo enseñar a su hija valores feministas. Ojalá algún día se cumpla el deseo de Adichie: «La finalidad del feminismo es que deje de existir.»

AUDREY TANG

Taiwán, República de China, 1981.

«Estamos demasiado acostumbrados a una cultura familiarizada con la idea de millones de personas que escuchan y demasiado poco con la de millones de personas colaborando al mismo tiempo. Los procesos de participación deben buscar mecanismos similares a los del juego»

La primera ministra transgénero

Hacker, activista LGTB+, convencida de la necesidad de transparencia y participación ciudadana y, desde 2016, primera ministra transgénero del mundo. No obstante, Audrey Tang, que con 24 años se cambió el nombre y sexo de asignación masculino por el femenino, se considera a sí misma postgénero, una persona que va más allá de las convenciones sociales de sexo y géneros.

La vida de Tang es tan precoz y excepcional como apasionante. Con uno de los coeficientes intelectuales más altos del mundo, hablaba varios idiomas con seis años. A los ocho aprendió a programar sin ni siquiera tener un ordenador. A los 12 años descubrió Internet y dejó el colegio para seguir su educación en casa. A los 16 fundó su primera start-up, un motor de búsqueda de canciones en mandarín. Creció entre exiliados chinos que huyeron de la persecución de Tiananmén a los que su padre periodista entrevistaba. Comenzó una carrera fulgurante en el mundo de la programación y las empresas informáticas y, con 33 años, anunció que se jubilaba de la esfera privada.

Considerada una diosa del software libre, es una de las activistas en programación más influyentes del planeta. En 2014, durante el Movimiento de los Girasoles en Taiwán, una protesta estudiantil contra la firma de un tratado comercial con China, Tang pasó al activismo digital, promoviendo las infraestructuras necesarias para transmitir las protestas en directo.

Su carrera de activismo cibernético la llevó a ocupar una silla en el gobierno de Tsai Ing-wen, la primera mujer en ocupar este cargo. Con ella comparte ideas progresistas, como la lucha por los derechos de población aborigen, el derecho al matrimonio gay y la abolición de la pena de muerte. Pero además, en su puesto de ministra, Tang tiene la misión de hacer el Gobierno más transparente e impulsar el desarrollo del software libre en Taiwán, sin perder de vista la participación cívica y los derechos digitales de la ciudadanía.

PACO VIDARTE

España, 1970-2008

> *La lucha contra la homofobia sólo es posible dentro de una constelación de luchas conjuntas solidarias en contra de cualquier forma de opresión, marginación, persecución y discriminación.*

La ética marica

Este filósofo, escritor, profesor y activista gay se definía como LGTBQ (lesbiano, gay, transexual, bisexual o queer). Fue la primera persona en llevar a la Universidad Nacional de Educación a Distancia (UNED) los estudios queer. Pero, sobre todo, fue un militante incansable por los derechos de quienes se sienten diferentes en la sociedad.

Provocador, directo y sin pelos en la lengua. En 2007 escribió *Ética marica*, un intento de mantener vivo el movimiento LGTB+. En él hablaba de la necesidad de tejer solidaridades y alianzas entre las personas oprimidas. Abogaba por las solidaridades entre «las maricas y las bollos, y las trans, y los negros, los proletas, las paradas, seropositivas, los sin techo, las pobres, las oprimidas.»

Después de las reformas legislativas del Gobierno socialista en España, con las que se legalizó el matrimonio entre personas homosexuales, Vidarte centró sus últimos esfuerzos en transmitir que la lucha LGTB+ no acababa en el matrimonio. Había que seguir cuestionando los privilegios. Había que seguir luchando contra todas las discriminaciones. Solo así se terminaría con la homofobia, como parte de un sistema más grande de opresiones y desigualdades.

HARVEY
MILK
Estados Unidos, 1930-1978

Si una bala atraviesa mi cerebro, dejad que esa bala destruya las puertas de todos los armarios

Asesinado por defender los derechos de los gays

Harvey Milk fue el primer hombre abiertamente homosexual en ser elegido para un cargo público en Estados Unidos. Salir del armario fue para este político una forma de vida: defendió con su propio ejemplo el derecho a la libertad de elección, a pesar de las múltiples agresiones homofóbicas que recibió. Por este empeño fue asesinado cuando su carrera política estaba en uno de sus mejores momentos. Un final trágico que no impidió que este personaje carismático, popular y con don de gentes se convirtiera en la semilla del sueño y de la esperanza contra la intolerancia.

Milk nació y creció en Nueva York, donde aceptó su homosexualidad siendo adolescente, aunque la mantuvo en secreto hasta convertirse en adulto. La contracultura y los aires de cambio de los años 60 le animaron a expresar con libertad su orientación sexual.

wwEste matemático de formación tuvo una juventud de muchos cambios: fue militar, profesor de universidad, vendedor de seguros, investigador, asistente en producciones de Broadway... En muchos de esos cambios tuvo que ver la persecución que sufrió por ser gay.

Cuando por fin se trasladó a San Francisco, ciudad pionera en la defensa de la libertad sexual, encontró su vocación política. Descarado, sociable y extravagante, Harvey Milk era un buen candidato para convertirse en supervisor de la ciudad. Prometía un cambio positivo tanto para la comunidad gay como para el resto de la ciudadanía, a quien aseguraba protección de sus derechos y seguridad frente al crimen. Consiguió avances importantes como la prohibición de la discriminación a las personas homosexuales en empleos y viviendas.

En 1978, Dan White, concejal relevado de sus funciones por corrupción, irrumpió de manera violenta en la oficina del alcalde Moscone, quien le había obligado a renunciar a su cargo. Con sus cinco balas asesinó al alcalde primero y a Harvey Milk, su rival político, después.

DISCRIMINACIÓN, ¿YO? ¡NUNCA!

Entremos en terreno pantanoso. Cuando se conocen las discriminaciones, se tiene claro que hay que erradicarlas. Por eso nadie cuestiona que durante el siglo XX las sufragistas se jugaran la vida por conseguir derechos civiles, o que fuera necesaria la creación del orgullo gay para que las personas LGTB+ pudieran ocupar los espacios públicos de forma segura. Poca gente con un mínimo de conciencia social se atrevería a poner en duda la importancia de erradicar la violencia de género, la desigualdad laboral o las agresiones que sufren las personas transexuales en la calle. Se podría decir que, ¡aleluya!, ante estas discriminaciones tan sangrantes existe un consenso social que acepta que el feminismo es necesario. Pero, cuidado: el machismo y la LGTBfobia también pueden pasar desapercibidos.

Cada día se realizan comportamientos que reproducen la discriminación en múltiples canales, ya sea de manera sutil o descarada. Pero están tan naturalizados que no sorprenden ni escandalizan y a veces ni se ven.

Es posible que alguna vez hayas tenido pensamientos como «tampoco es para tanto, estas feminazis son unas exageradas», «eso de que me maltrate mi novio no me puede pasar a mí» o «la discriminación no va conmigo, yo vivo en igualdad y todo el mundo puede hacer lo que quiera». No es malo que las personas se perciban libres y con derechos, o que consideren que sus compañeras viven en libertad. Al contrario, es una buena noticia. Pero a veces la igualdad es como un espejismo en el desierto: algo que se sabe que existe, pero que no se cree que sea real. Eso es un problema porque, si no somos conscientes de las discriminaciones que padecemos y/o reproducimos, ¿qué vamos a hacer para transformarlas?

Vale, hasta aquí la chapa. ¿En qué se traducen estos machismos cotidianos? ¿A qué nos referimos si hablamos de microviolencias? Estas situaciones que te proponemos a continuación pueden poner un poco de orden a tanto batiburrillo de ideas. Antes de pasar a ellas, una aclaración: cualquier parecido con la realidad es pura coincidencia.

1. EL NOVIO

Está claro que tu pareja te tiene que tratar bien. Entonces, ¿por qué nos sigue pareciendo sexy el malote de la película, el que controla, grita y se impone?

¿Por qué le llaman amor cuando quieren decir control?

Si no sabes, ¿para qué te metes?

NO es no, también en la pareja

2. PELEA DE GALLOS

Encajar en algunos grupos a veces no es fácil. En ocasiones eso te exige hacer cosas de las que no estás orgulloso. ¿De verdad merece la pena?

El club de los chicos

3. LAS ETERNAS AMIGAS

En parejas de lesbianas, ¿cuántas veces su relación ha sido ninguneada o tratada como un amor de segunda categoría? ¡Incluso les preguntan cómo mantienen relaciones sexuales!

El sexo inexistente

La relación ninguneada

4. NUNCA LLEGARÉIS A SER CHICOS

El deporte femenino está en auge, tanto en la alta competición como en el deporte de base. Pero, oh, sorpresa, todavía las chicas tienen mucho que demostrar, es difícil alcanzar el pódium.

El fútbol es así

¿En serio?

5. LA CALLE Y LA NOCHE TAMBIÉN SON NUESTRAS

Caminar con sensación de miedo por si alguien te sigue, tener continuamente presente cómo te mueves, qué espacio ocupas, que te toquen, que una mujer no pueda dar la mano a su novia... El feminismo habrá alcanzado uno de sus objetivos cuando la calle sea un lugar completamente seguro para las mujeres.

Dos mujeres que se dan la mano.

6. MANSPLAINING

Dícese del hábito de los hombres de explicar cosas a las mujeres de forma condescendiente. Incluso cosas sobre las que las mujeres en cuestión son expertas.

✱ *Esta señora es Rebecca Solnit: escritora y periodista estadounidense con más de una veintena de títulos publicados, multipremiada y alabada por la crítica, colaboradora habitual de The Guardian y Harper's Magazine, entre muchas otras. Se la considera la acuñadora del término «Mansplaining».*

7. SALIR DEL ARMARIO

¿Por qué ocultar el sexo de tu pareja? Hay quienes piensan que esto es una forma de autometerse en el armario de las propias personas LGTB+. Cuando no se es consciente de la discriminación, resulta sencillo aconsejar. Ocultar selectivamente la información produce mucho estrés, pero más miedo causa pensar en las posibles consecuencias de decirlo: el rechazo, la burla, los comentarios, el insulto, la agresión...

Salir del armario en el trabajo

8. ESA NECESIDAD DE EXPLICAR

¿Cuántas veces has escuchado, o incluso utilizado, la coletilla «gay»? «Mi amigo gay», «el médico gay...» ¿Dirías mi amigo hetero, la jueza hetero? Si no lo haces en un caso, ¿qué aporta en el otro? A veces se usa como coletilla para exculpar a una persona, como en este ejemplo:

Los gays son buena gente

9. ENCASILLARSE

¿Es tan cuadriculada nuestra mente que necesita tener etiquetas para todo? Y, además, ¿solo dos etiquetas, en serio?

Salirse del molde.

10. LA BARRA DEL BAR

Normas no escritas según las cuales el espacio de las mujeres está abierto y puede ser traspasado. Claro que, si eres educado, ¿qué tiene de malo, no? Imagínate una escena en la que el personaje fuese un hombre, ¿harías lo mismo que en esta?

El «majo» del bar.

11. LA PROMISCUA Y EL CAMPEÓN

Es un clásico que no pasa de moda. A las mujeres se les sigue penalizando que sean promiscuas, que tengan varias parejas o que disfruten del sexo. Mientras esta misma característica se considera algo positivo en los hombres.

La historia se repite

12. TODO EL MUNDO HABLA

Maternidad: tema en el que todo el mundo cree que puede opinar sobre la vida de las mujeres. Si son madres, si no lo son, si lo hacen bien, si lo hacen mal, si es pronto, si es tarde... ¡Un momento! ¿Por qué no dejan descansar a las madres y hablan un poco de los padres?

13. EL RADAR GAY

Seguro que en más de una ocasión has oído a alguien decir: «Se le nota que es gay» o «eso es muy gay». ¿Hay pautas para reconocer la orientación sexual de una persona? ¿No tendrá esto que ver con los estereotipos sobre las personas homosexuales?

La pluma

Estos son solo algunos ejemplos. Seguro que has visto y vivido muchas otras situaciones. Y ahora que tienes esta guía en tus manos, quizá te dejes puestas las gafas violeta y detectes muchas más. Haz una lista de machismos o micromachismos que has ido teniendo o de los que has sido testigo y, al lado, ideas para poder quitártelos de encima. ¿Te animas? Parece difícil, pero ¡todo es empezar!

PON UN POCO DE FEMINISMO EN TU VIDA

Si has llegado hasta aquí, te habrás dado cuenta de que todavía falta mucho por conseguir. Aún hay muchas desigualdades sexistas y LGTBfobia. Es cierto, la cosa no pinta bien. Pero ¡qué demonios!, la historia y el avance imparable de los feminismos y de la lucha LGTB+ nos demuestran que se pueden dar pasos de gigante con la suma de muchas acciones, individuales y colectivas. ¿Te subes al tren?

No hay pócimas mágicas para acabar con los sexismos cotidianos. Tampoco hay baldosas amarillas que nos lleven al final de las violencias de género. Pero existen muchos caminos de los que podemos aprender y otros nuevos que podemos explorar. En este capítulo te dejamos algunas recetas para poner un poco de feminismo en tu vida.

1. LA CALLE, LA NOCHE (Y LAS REDES) TAMBIÉN SON NUESTRAS. MANIFIÉSTATE.

Gracias a la organización y presión popular se han conseguido derechos civiles en casi todas las sociedades del mundo. El voto femenino en Gran Bretaña, el fin de la segregación racista en EEUU o la legalización del matrimonio entre parejas homosexuales en España son solo tres ejemplos.

Igual piensas que las manifestaciones y movilizaciones ciudadanas están trasnochadas, ya no son necesarias o no sirven para nada. Aquí tienes dos ejemplos que demuestran todo lo contrario.

· En 2014, el gobierno conservador español propuso reformar la ley del aborto, lo que suponía un grave retroceso y un ataque a los derechos sexuales y reproductivos de las mujeres. Durante meses hubo movilizaciones feministas masivas que lograron no solo parar la reforma, sino que el ministro de Justicia, impulsor de la misma, tuviera que dimitir.

· En 2018, el movimiento #MeToo ha puesto sobre la mesa un tema tabú: la violencia sexual. Gracias a manifestaciones en la calle y en redes sociales, se ha evidenciado el silencio de la sociedad ante las agresiones sexuales y se ha conseguido que las mujeres dejen de sentir vergüenza y/o culpa por ser agredidas sexualmente.

2. SOLA NO PUEDES, CON AMIGAS SÍ. ORGANÍZATE.

Nadie como las personas que viven situaciones similares a las tuyas para entenderte y compartir tus dudas, dificultades o deseos. Seguro que entrar en contacto con personas afines te abre horizontes.

· Grupos de mujeres. Eso que piensas que solo te ha pasado a ti, seguro que es más común de lo que crees. Júntate con amigas, conocidas o colegas en el instituto, en el trabajo, en tu vecindario, en la universidad o en tu bar preferido. Para pasar el rato, para leer textos sobre feminismo, para encartelar paredes o para contaros vuestros problemas. Estar con otras mujeres te ayudará a no sentirte sola, a pasarlo bien, a compartir experiencias, a organizarte ante situaciones injustas o a participar políticamente. Las razones de los grupos de mujeres son infinitas, igual que sus beneficios.

· Colectivos LGTB+. Salir del armario y vivir homofobias cotidianas no es fácil. Busca en tu barrio o en las redes a personas y grupos. Encontrar espacios de seguridad en los que relacionarte en libertad y sin prejuicios da mucha alegría. Además, en estos grupos encontrarás apoyo, consejo, información, y quizá gente con la que movilizarte.

· Grupos de hombres por otra masculinidad. Desde hace años existen grupos de chicos y de hombres que se juntan. Cuestionan sus privilegios como varones, trabajan para no reproducir comportamientos machistas y se posicionan contra la violencia de género. También se hacen cargo de sus emociones y del cuidado, rompiendo con la forma en que la mayoría han sido educados. ¿A que suena bien?

· Colectivos feministas mixtos. ¿Que no te va eso de juntarte solo con mujeres, solo con hombres o solo con personas LGTB+? ¿Que prefieres un grupo mixto donde poder pensar sobre las discriminaciones que provoca el sexismo y donde poder actuar? Pues estás de suerte, porque el feminismo es cosa de todas las personas. ¡Anímate a comprobarlo en tu entorno!

3. ROMPE MOLDES. BUSCA FÓRMULAS DE IGUALDAD EN TU INSTITUTO, TU TRABAJO O TU CASA.

Cambiar leyes, decisiones judiciales o prácticas económicas puede parecer fuera de nuestro alcance, que nos viene grande. Sin embargo, sí podemos intervenir en nuestro entorno. Los espacios donde nos relacionamos (el instituto, el grupo de amigos, el barrio, tu colectivo, la familia, el equipo de baloncesto, el trabajo...) son pequeños mundos donde se reproducen desigualdades. Para combatirlas, nada mejor que impulsar y construir prácticas de igualdad. Algunas ideas:

· Comparte los trabajos de limpieza y de cuidado. Son muchos trabajos, a veces infinitos, y no es plan que recaigan solo en las mujeres. Si vives en pareja, con familia o con amistades, no lo dudes, es muy fácil romper con esta desigualdad histórica. Puedes hacer un cronograma de limpieza, cocina y cuidado de las plantas, tener un acuerdo por escrito, o mantener charlas semanales. La fórmula da igual, lo importante es el compromiso de todo el mundo de corresponsabilizarse. Esto se aplica a todos los espacios, no solo en el hogar. Tu asociación, la oficina, las fiestas con tus amigas y amigos...

· Promueve el buen trato. Tratarse bien empieza en cada persona. Si intentamos tener relaciones respetuosas, fomentaremos un clima de respeto. Pero esto no es suficiente. Es bueno llegar a acuerdos, hablar en pareja y en grupo sobre cómo nos hablamos, qué queremos, qué nos gusta y qué no nos gusta.

Poner en marcha el buen trato implica practicar la escucha y el cuidado de las personas. Es importante poner interés en lo que sienten y expresan las personas a nuestro alrededor. Puede parecer que esto es un campo reservado al ámbito personal y familiar, pero el resto de los espacios de la vida también necesitan que las emociones salgan a flote, que se llegue a acuerdos sobre cómo tratarse y que se dé importancia a las relaciones personales.

· Promueve una educación igualitaria. Como hermano, padre, abuela, maestra, monitor de tiempo libre... En tu vida te vas a encontrar en infinidad de situaciones en las que vas a tener que acompañar a otra persona, darle consejos o educarla. Haz que ese acompañamiento rompa estereotipos, no perpetúe mandatos y busque la libertad de las personas.

4. NO TE CALLES

El silencio nos hace cómplices, pero la solidaridad es una de las mejores herramientas para no dar espacio a la violencia. Muchas veces es difícil ser valiente, dar la cara, ir a contracorriente, exponerte ante desconocidos o incluso contradecir a familiares y amistades. Pero siempre hay formas, desde el respeto, la tranquilidad, la asertividad e incluso el humor, de defender a una persona que está siendo violentada y de parar la cadena del machismo. Y si tu actuación molesta, ¿qué le vamos a hacer? A veces cambiar las cosas genera conflictos, pero son conflictos necesarios. De manera individual o colectiva, tu acción no cae en saco roto. Imagina estas escenas, seguro que más de una te suena.

Conversación inspirada en el artículo «En tu grupo de WhatsApp también hay violencia machista» publicado en Eslang.es el 27/11/2017.

·Aula 4º C de la ESO. Un chico que acude a clase en falda es reprimido por su profesora, quien le obliga a ponerse pantalones bajo la amenaza de ser expulsado. Al día siguiente, toda su clase acude al colegio con faldas y vestidos.

· La línea 60 del autobús de tu ciudad. Un señor de unos 45 años empieza a increpar a una mujer algo mayor que lleva velo, insultando en alto a las personas musulmanas. Otra mujer de mediana edad se sienta al lado de la mujer violentada y empieza a hablar con ella amigablemente.

5. #NOESTÁSSOLX.
CONFÍA Y BUSCA APOYO

¿Qué ocurre si la persona agredida eres tú? ¿Si te discriminan por tus preferencias sexuales? ¿Si se ríen de ti por algún rasgo de tu físico? ¿Si te has metido en una relación que te está haciendo daño sin darte cuenta?

Si te ocurre algo así tienes que tener claro que no es tu culpa. No te mereces ese trato, ni te lo has buscado, ni eres responsable de que ocurra. La única responsable ante esa agresión es la persona que la ejerce. Lo que te ocurre le puede pasar a cualquiera. De hecho, lamentablemente, le pasa a mucha gente.

Ante una situación tan difícil, puedes hablar con tus amigas o amigos, con tu familia, con tu colega de trabajo, con tu profesora, con alguien de confianza. Quizás no soluciona el problema, pero probablemente lo mejora y podéis ver cómo encontrar ayuda y terminar con esa situación.

Por último, ten claro que la ausencia de violencia tiene que estar relacionada con tu bienestar. Busca aquello que te hace sentir bien, en tus relaciones y en tu día a día. Rodéate de personas que te traten bien y que te den bienestar, que seguro que son muchas. No tienes por qué seguir normas injustas, ni aceptar malos tratos, vengan de donde vengan. Como nos enseñó el colectivo feminista boliviano Mujeres Creando, «desobediencia, por tu culpa soy feliz».

6. UN PASO ATRÁS.
REVISA TUS PRIVILEGIOS.

Si eres hombre, también puedes cambiar las cosas. El feminismo siempre ha necesitado de hombres comprometidos, ¿recuerdas? De la misma manera que un actor de Hollywood es capaz de donar su sobresueldo cuando se entera de que su compañera de reparto ha cobrado 1.500 veces menos que él, o cuando un candidato a un premio de cómic ha rechazado la nominación al enterarse de que no había ninguna mujer en la lista de candidatos, tú puedes hacer cosas parecidas. ¿Cómo? Si ves que en tu empresa una mujer gana menos que tú o que te van a dar su mesa de trabajo porque está disfrutando de un permiso de maternidad; si ves que a tu compañera de clase no la escuchan y solo te dan a ti la palabra; o si te llaman a una charla y en la mesa solo hay hombres, puedes decir que no te parece bien la situación. Es arriesgado, pero merece la pena el intento.

127

7. COMPARTE FEMINISMO.
INFÓRMATE Y LEE.

Digamos que no es necesario tener un máster en feminismos ni conocer a fondo teorías y autoras. Pero si tienes curiosidad por saber más sobre los debates, no hay nada como investigar y escuchar a las protagonistas. En el siguiente capítulo te ofrecemos un listado de películas, libros y música que te pueden interesar. Y ya que estamos, puedes compartir materiales en tus redes y en tu círculo cercano para que el feminismo y el mundo LGTB+ dejen de ser un tabú.

8. PÁSATE AL CLUB DISFRUTÓN.
NO TE CULPES.

Llegado este punto, pensarás que meter el feminismo en tu vida es una carrera de obstáculos, una heroicidad y que, a lo mejor, no das la talla. Si ese pensamiento te ronda la cabeza, échalo, adiós, bye bye, au revoir, sayonara, baby...

¿Te contamos un secreto? No somos ni tenemos que ser las superwoman o los superman del feminismo ni de la lucha LGTB+. Todas las personas metemos la pata, nos bloqueamos, llegamos hasta donde podemos. Si es tu caso, ¡enhorabuena!, eres un ser humano. Lo importante es que te apuntes a cambiar las cosas, pero que además lo disfrutes, porque el feminismo tiene algo de adictivo y mucho de disfrutón.

ESTO NO ACABA AQUÍ

¿Quieres saber más sobre estos temas? La lucha por la igualdad de derechos, el feminismo, la reivindicación de diferentes formas de vivir la sexualidad son cuestiones que atraviesan todos los rincones del mundo. Para terminar, te damos a conocer recomendaciones culturales y testimonios de personas famosas que seguro te pueden interesar.

PELIS

ANTONIA (Antonia's Line), Marleen Gorris, 1995. Antonia hace un repaso de su vida y de la de quienes la rodean. Una vida fuera de las convenciones y los mandatos de género, marcada por su comportamiento independiente y su lucha por el feminismo.

AIMÉE Y JAGUAR (Aimée & Jaguar), Max Färberböck, 1999. Basada en la novela de Erica Fischer, esta película cuenta la historia de amor real entre Lilly Wust, alemana aria, de 29 años, ama de casa, casada con un militar nazi y madre de cuatro hijos varones, y Felice Schragenheim, judía, seis años más joven, que trabaja de manera clandestina para la resistencia.

BOYS DON'T CRY, Kimberly Peirce, 1999. Basada en el documental *La historia de Brandon Teena*, nos cuenta su brutal asesinato. Brandon fue asesinado al descubrirse que biológicamente no era un hombre. Uno de los crímenes de odio que conmocionó a Estados Unidos.

BILLY ELLIOT (Quiero bailar), Stephen Daldry, 2000. Entre el humor y la tristeza, el director nos narra la historia de Billy, un niño que descubre su pasión por el ballet en un entorno masculinizado. Rodeado de tradicionales hombres mineros, Billy no lo tiene nada fácil. Pero su deseo por el baile triunfa y demuestra a todos que un chico sí que puede bailar.

LAS MUJERES DE VERDAD TIENEN CURVAS, Patricia Cardoso, 2002. Adaptación al cine de la obra teatral del mismo título de Josefina López, quien nos cuenta sus propias experiencias como inmigrante mexicana sin papeles y su vida familiar. La protagonista vive el choque entre las tradiciones familiares y las decisiones individuales.

TE DOY MIS OJOS, Icíar Bollaín, 2003. Pilar es una mujer que sufre maltrato por parte de su pareja. Intenta rehacer su vida y empieza a trabajar de cajera de visitas en una iglesia, donde comienza a relacionarse con otras mujeres. Esta película cuenta de manera sencilla y sin artilugios las relaciones que entran en juego entre Pilar, su marido y las amigas de esta.

MOOLAADÉ (Protección), Ousmane Sembene, 2004. Un grupo de niñas huye de un pueblo africano para escapar del ritual de la purificación enfrentando, desde este momento, el derecho de asilo (moolaadé) y la tradición de la ablación (salindé).

BUDA EXPLOTÓ POR VERGÜENZA, Hana Makhmalbaf, 2007. Con solo seis años, Baktay, una niña que vive en un pueblo de Afganistán, tiene que hacer periplos para conseguir un lápiz y un cuaderno para ir a la escuela y alcanzar su sueño: aprender a leer.

XXY, Lucía Puenzo, 2007. Las dificultades para que Alex pudiera tener una vida libre y lejos de prejuicios lleva a Kraken y Suli a dejar Buenos Aires poco después de su nacimiento. Lejos de allí Alex podrá crecer sin la presión social sobre su cuerpo e identidad y decidir, cuando llegue el momento, qué camino es el que quiere seguir.

80 EGUNEAN (En 80 días), José Mari Goenaga y Jon Garaño, 2010. La presión de los roles tradicionales de género lleva a una de las protagonistas a una vida que ni siquiera se plantea si quiere vivir. El reencuentro con aquella amiga de la infancia le pone entre el corazón y la razón. ¿A quién escuchar? Ella acaba teniéndolo claro: nunca es tarde para vivir la vida que eliges.

LA FUENTE DE LAS MUJERES (La source des femmes), Radu Mihaileanu, 2011. Las mujeres de un pequeño pueblo de Oriente Medio tienen que caminar bajo el sol ardiente hasta lo alto de una montaña para buscar agua. Cansadas de esta situación inician una huelga de sexo para provocar que los hombres se impliquen en esta tarea.

DIANA EN LA RED, una producción de Tus Ojos Fundación, 2013. Este cortometraje cuenta la historia de Diana, una chica de instituto que tiene una relación amorosa con un chico de su clase llamado Rocky. Por medio de las redes sociales se va narrando su historia de amor, que es la historia de maltrato que sufren muchas chicas de manera cotidiana, y cómo es posible salir de esta situación.

LA BANDA DE LAS CHICAS (Bande de filles), Céline Sciamma, 2014. Hermoso retrato de la vida de unas adolescentes de origen africano en las *banlieues* parisinas. La directora aborda con frescura y sin juicios previos las andanzas de las protagonistas, en las que se cruzan cuestiones de raza, género y clase social.

PRIDE (Orgullo), Matthew Warchus, 2014. Este filme recupera una historia real: la de la alianza entre colectivos LGTB+ y mineros para apoyar la huelga de estos últimos. Una colaboración inédita que consiguió derribar prejuicios y generar lazos entre luchas.

UN AMOR DE VERANO (La belle saison), Catherine Corsini, 2015. París del 1971, comienzos de la revuelta feminista. Un encuentro entre Delphine, lo rural, y Carole, lo urbano. La lucha por la propia independencia y la de las demás mujeres, por la libre elección del camino de sus vidas.

SUFRAGISTAS (Suffragette), Sarah Gavron, 2015. A partir de la vida de las protagonistas de esta película, conocemos el nacimiento del movimiento sufragista: feministas inglesas, la mayoría obreras pero también mujeres de clases altas, que en vísperas de la Primera Guerra Mundial veían impotentes como sus protestas pacíficas eran ignoradas. Por tal motivo, se radicalizaron y se arriesgaron a perderlo todo en pos de la igualdad: su trabajo, su casa, sus hijos y su vida.

20TH CENTURY WOMEN, Mike Mills, 2016. Tres mujeres de diferentes generaciones en los años 70 afrontan sus vidas en una época de cambio cultural. Esta cinta nos plantea la amistad entre mujeres, luchadoras y empoderadas.

MOONLIGHT, Barry Jenkins, 2016. En este filme conoceremos la infancia, adolescencia y juventud de Chiron, un chico afroamericano que crece en un barrio conflictivo. A lo largo de su vida tendrá que hacer frente al ambiente violento de su entorno mientras busca su propia identidad.

TIERRA FIRME, Carlos Marques-Marcet, 2017. Una reflexión sobre la maternidad. Una pareja de chicas se encuentra en un punto de inflexión en su relación: su diferente postura frente a la idea de ser madres. La aparición en sus vidas de un amigo puede ser una solución.

UNA MUJER FANTÁSTICA, Sebastián Lelio, 2017. Las verdaderas heroínas son de carne y hueso. Tras la muerte de su pareja, una mujer transexual tiene que luchar contra la hipocresía y el estigma de la gente.

CLOSE-KNIT, Naoko Ogigami, 2017. Una de las primeras películas japonesas con un personaje principal transexual. En tan solo sesenta días veremos la vida de esta pareja que busca la felicidad junto a Tomo, una niña que llega de repente a sus vidas.

CALL ME BY YOUR NAME, Luca Guadagnino, 2017. El despertar de la sexualidad, el erotismo del verano, la electricidad entre dos cuerpos. La valentía de lanzarse a vivir un amor aunque esté fuera de las convenciones sociales.

120 PULSACIONES POR MINUTO, Robin Campillo, 2017. El activismo de la lucha contra el sida a principios de los 90 en Francia frente a un Estado que parece no ir a las mismas pulsaciones por minuto que los protagonistas. El deseo y el amor no entienden de sistemas inmunitarios.

PERSONAJES FEMINISTAS
EN PELÍCULAS DE FICCIÓN

Te sorprenderá, pero las grandes superproducciones y películas taquilleras en los últimos años también se están sumando a estos aires de cambio. Actualmente, podemos encontrar películas que, si bien no abordan temáticas feministas o LGTB+, sus personajes rompen moldes y suponen referentes más que inspiradores. Puedes empezar viendo *Los juegos del hambre* (trilogía dirigida por Gary Ross y basada en la novela de Suzanne Collins), *Divergente* (dirigida por Neil Burger y basada en la novela de Veronica Roth), toda la saga de *Starwars* (de George Lucas), la última versión de *Cazafantasmas* (Paul Feig) o *Wonderwoman* (Patty Jenkin).

el TEST de BECHDEL

El test de Bechdel es un sencillo test para evaluar la brecha de género en producciones artísticas: libros, películas, cómics, etc. Se basa en la aplicación de tres requisitos muy simples:

¿TIENE, AL MENOS, DOS PERSONAJES FEMENINOS?

ESTOS PERSONAJES ¿HABLAN ENTRE ELLOS?

Y LO ÚLTIMO PERO NO POR ELLO MENOS IMPORTANTE: ¿HABLAN SOBRE ALGO QUE NO SEAN HOMBRES?

DOCUMENTALES

RÉPONSE DE FEMMES, Agnès Varda, 1975. ¿Qué es una mujer? Para responder a esta pregunta, Varda situó a mujeres diversas frente a la cámara para que diesen sus respuestas. El resultado es un «panfleto fílmico» fresco y hermoso en el que las protagonistas hablan sobre los mitos de la feminidad.

EL CELULOIDE OCULTO, Rob Epstein, Jeffrey Friedman, 1997. Emocionante documental que relata cómo las películas de Hollywood han retratado la homosexualidad y a personajes LGTB+ a lo largo del tiempo.

TAKING ROOT: THE VISION OF WANGARI MAATHAI, Lisa Merton y Alan Dater, 2008. Documental sobre la primera mujer africana y la primera defensora del medio ambiente en conseguir el Premio Nobel, en 2004. Desde que en 1977 Maathai sugirió a las mujeres que plantaran árboles para frenar la degradación del medio ambiente, este movimiento no ha parado de crecer y se ha convertido en un movimiento nacional por la defensa del medio ambiente, los derechos humanos y el fomento de la democracia.

EL TEST DE LA VIDA REAL, Florencia P. Marano, 2009. Hay mucho más que el dualismo mujer-hombre, homo-hetero. El día a día de cinco personajes nos descubre la «normalidad» de los no normales.

CLANDESTINAS, Andrea Aguilar y Ezequiel Altamirano, 2013. Documental que nos plantea la realidad que viven las mujeres argentinas que se ven obligadas a decidir sobre su cuerpo y su vida en un contexto de clandestinidad. Los relatos de cuatro mujeres y un hombre van dando forma a la idea de que decidir sobre nuestros cuerpos es la expresión máxima de autonomía.

GUERRILLER@S, Montse Pujantell, 2010. Documental que recoge reflexiones sumamente interesantes de diferentes activistas trans sobre la identidad de género, que ayuda a romper las ideas arquetípicas sobre la transexualidad.

YES, WE FUCK!, Antonio Centeno y Raúl de la Morena, 2015. Documental que aborda la sexualidad en personas con diversidad funcional a través de seis historias reales que muestran que el sexo es patrimonio de todo el mundo.

OVARIAN PSYCOS, Joanna Sokolowski y Kate Trumbull-LaValle, 2016. Un grupo de mujeres latinas recorre en bici las calles de Los Ángeles como una forma de protección frente a la violencia que sufren las mujeres en los barrios y en sus casas.

GENDERBENDER, Sophie Dros, 2017. Cinco jóvenes que no se sienten ni mujer ni hombre sino en algún lugar en el amplio espectro que hay entre ambas etiquetas.

LIBROS

Si te interesa la bibliografía básica del movimiento feminista y LGTB+, te recomendamos ir a las líneas del tiempo, en las que aparecen referenciadas numerosas autoras y autores. En esta lista añadimos algunos títulos, sobre todo obras de ficción y ensayos divulgativos.

HERLAND, Charlotte Perkins Gilman, 1915. Novela.

UN CUARTO PROPIO, Virginia Woolf, 1929. Ensayo.

LA MANO IZQUIERDA DE LA OSCURIDAD, Ursula K. Le Guin, 1969. Novela.

EL CUENTO DE LA CRIADA, Margaret Atwood, 1985. Novela.

¿POR QUÉ SER FELIZ CUANDO PUEDES SER NORMAL?, Jeanette Winterson. 1985. Novela autobiográfica.

NUBOSIDAD VARIABLE, Carmen Martín Gaite, 1992. Novela epistolar.

MIDDLESEX, Jeffrey Eugenides, 2002. Novela

FEMINISMO PARA PRINCIPIANTES, Nuria Varela, 2005. Ensayo/Historia.

TEORÍA KING KONG, Virgine Despentes, 2006. Ensayo

FUN HOME, Allison Bechdel, 2006. Autobiografía ilustrada.

CÓMO SER MUJER, Caitlin Moran, 2011. Ensayo autobiográfico.

MALDITAS, UNA ESTIRPE TRANSFEMINISTA, Itziar Ziga, 2014. Ensayo/Biografías.

TODOS DEBERÍAMOS SER FEMINISTAS, Chimamanda Ngozi Adichie, 2014. Ensayo.

MALA FEMINISTA, Roxane Gay, 2016. Ensayo.

EL FEMINISMO ES PARA TODO EL MUNDO, bell hooks. 2017. Ensayo.

SOLTERONA. LA CONSTRUCCIÓN DE UNA VIDA PROPIA, Kate Bolick, 2016. Autobiografía

DE ESTO NO SE HABLA. SEXO, MENTIRAS Y REVOLUCIÓN, Laurie Penny, 2017. Ensayo.

QUEER, UNA HISTORIA GRÁFICA, Meg John Barker y Julia Scheele, 2017. Cómic.

DE LA A A LA Z

Androcentrismo

Es la visión del mundo que sitúa al hombre como centro de todas las cosas: en la historia, el lenguaje, la medicina, la cultura, etc. Consiste en tomar al hombre varón como el prototipo o modelo de lo humano y su perspectiva como el punto de vista de la humanidad. ¿Cuántas mujeres científicas aparecen en los libros de historia? ¿Cuántas deportistas salen en los telediarios? Habrá quien diga que no hay tantas. Pero ¿sabes qué? Hay muchísimas mujeres a lo largo de la historia y en la actualidad dedicadas a la ciencia, al deporte y a muchas cosas más, con aportaciones excepcionales. Sin embargo, nuestra cultura es androcéntrica y no se fija en ellas.

Más ejemplos, que estamos de oferta: la medicina es androcéntrica, porque se ha centrado durante mucho tiempo en identificar cuáles son los síntomas de una enfermedad concreta sobre pacientes varones sin tener en cuenta que las mujeres pueden tener otros síntomas. Más: cuando en un colegio la profesora dice «vamos a estudiar el cuerpo humano» y saca una lámina con un cuerpo humano de ejemplo, ¿qué genitales tiene ese modelo? Pocas veces vemos una vulva... Y así un largo etcétera.

Bajo esta forma de sexismo, el hombre y lo masculino se entienden como centrales a la experiencia humana, como la generalidad y lo universal, mientras que la mujer y lo femenino se entienden como «lo otro» o «lo específico y particular». El androcentrismo conlleva la invisibilidad de las mujeres y de su mundo, la negación de una mirada femenina y la ocultación de las aportaciones realizadas por las mujeres.

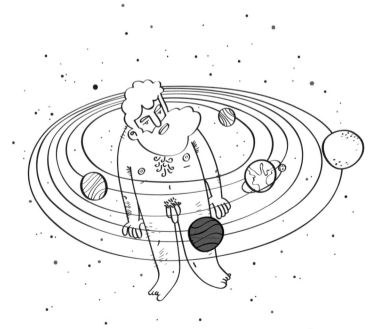

Amor romántico

Aunque podría haber varias acepciones de este término, desde el feminismo se apunta al amor romántico como el modelo cultural de amor que surge en los últimos siglos en las sociedades occidentales y que se ha extendido a todos los continentes. Para no enrollarnos mucho, iremos a los aspectos más llamativos:

· Presupone la heterosexualidad, porque claro, no hay nada más «normal» que un hombre y una mujer enamorados.
· Une amor con matrimonio y familia. Por supuesto, un matrimonio monógamo y para toda la vida.
· Está muy vinculado a otros mitos del amor: la media naranja (es decir, que en el mundo hay alguien esperándonos –la persona elegida– que nos complementa a la perfección), el amor a primera vista (¿has visto *Crepúsculo?* Pues ya sabes de qué hablamos), y el amor fusión (cuando te enamoras te unes a la otra persona formando una pareja indivisible, y eso en sí mismo es una fuente de mucha felicidad).

Por todo esto, la mirada feminista ve el amor romántico como algo problemático. No es que a las feministas y personas LGTB+ no les guste el amor. Lo que pasa es que entendido de esta forma, el amor ha causado muchos problemas a la gente, sobre todo a las mujeres, y todavía hoy los sigue causando. Veamos algunos:

· El matrimonio y las relaciones duraderas están bien para quien les sirva este modelo. Pero ¡olé con todas las relaciones que no se ajustan a este paradigma! De lo que se trata es de ser feliz en las relaciones que se tengan, sean del tipo que sean.
· Esperar toda la vida al príncipe azul es un bajonazo. ¿Y si no llega? Entre amigas, amigos y amantes también se puede ser muy feliz.

· Y si tengo la suerte de encontrar a alguien superespecial y la cosa empieza a torcerse... O peor aún, si empieza a tratarme mal.... ¿qué hago? Por desgracia, hay muchas mujeres que aguantan situaciones no deseadas por la idea de «no fracasar en el amor», por la culpabilidad que esto genera.

· El amor romántico se erige como lo más importante en la vida para las personas. Un poco absurdo, si pensamos en la amistad, la justicia, la solidaridad, el placer... como otras fuentes de alegría y prioridad.

· La «pareja ideal» mantiene unos roles de género que deberían pasar de moda. La mujer en la casa, a cuidar a las hijas, atender al marido y a aguantar. Parece cosa del pasado, pero estos avances están siendo lentos, muy, muy lentos.

· B ·

Binarismo

Una de las principales características del ser humano es su diversidad. Somos personas diferentes y diversas en muchos aspectos: biológicos, sexuales, cognitivos, de habilidades, gustos... Es una de nuestras enormes riquezas como especie. No obstante, nuestras sociedades han reducido esta enorme diversidad a conceptos binarios. ¿Qué quiere decir esto? Pues que, aunque existan varios sexos biológicos, la sociedad solo reconoce dos: hombre y mujer. O que, a pesar de que haya infinidad de géneros, solo concibe dos: masculino y femenino. O que, aunque haya formas interminables de expresar la orientación sexual, todo se reduce a dos: heterosexual y homosexual. Esto es lo que llamamos «sistema binario» o «binarismo».

Cisexual

Persona que se siente del género que le han asignado al nacer según sus características biológicas. Es decir, personas que han sido definidas como hombre o mujer porque tienen pene o vulva, y se identifican con esa definición. Así, hablamos de cishombre para referirnos a una persona que nace con pene y testículos y se siente hombre, y de cismujer para referirnos a una persona que nace con vulva y se considera mujer.

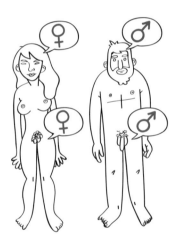

Corresponsabilidad

Se trata de algo tan simple como la responsabilidad compartida. Es decir: los trabajos de la casa, el cuidado y la atención a personas pequeñas, personas mayores y personas dependientes se tienen que repartir entre todos. Algo que, si un día se consigue, se podrá afirmar que ha sido un grandísimo paso para la humanidad. Porque, que no te cuenten cuentos, todavía estos trabajos recaen sobre las mujeres. Y son trabajos duros, cansados, permanentes, invisibilizados, no reconocidos ni remunerados. También son interminables: si empiezas con la lista, no acabas nunca.

Un paso más en la palabra *corresponsabilidad* es cuando el feminismo demanda que estos trabajos se saquen del espacio privado y doméstico para que se asuman colectivamente, desde las administraciones públicas, las empresas o las comunidades. Por ejemplo, el cuidado de personas dependientes tiene que resolverse, en la mayoría de lugares del mundo, dentro de las familias. Es decir, son ellas las que con su dinero y su tiempo se encargan de aportar todos los cuidados a personas dependientes. Pero ¿por qué el estado o las empresas no se responsabilizan de atender y facilitar el cuidado de un número cada vez más alto de la población que necesita atención diaria y permanente? Lo mismo sucede con el cuidado de niñas y niños o personas mayores. La corresponsabilidad es una de las principales batallas que actualmente libra el feminismo.

Cuota de género

Se trata de un mecanismo que plantea un mínimo de participación femenina en determinados cargos de poder. Es decir, mediante una medida política o empresarial, se establece que en un órgano determinado (por ejemplo, un gobierno) las mujeres deben ocupar un porcentaje mínimo de los puestos. Este mecanismo ha servido en muchos países para aumentar la presencia de mujeres en esferas de liderazgo e influencia, como partidos políticos, empresas y gobiernos. Sin embargo, no siempre es bien recibido y a veces genera controversia.

Para el feminismo está claro: se debe garantizar que las mujeres accedan a puestos de responsabilidad. Porque si no se toma esta medida, los obstáculos diarios e invisibles que las mujeres encuentran en sus carreras, como la dificultad para equilibrar el tiempo de trabajo con la atención a los cuidados o la idea preconcebida de que las mujeres no saben o no están «hechas» para tomar ciertas decisiones, entre otras muchas, les van a impedir ocupar estos puestos.

Las cuotas de género normalmente se refieren a la esfera política y empresarial, pero podríamos aplicarlas a cualquier espacio. Cuando un colectivo organiza una charla, cuando se elige el consejo escolar, cuando en una radio vecinal se hace un casting para escoger a personas locutoras y entrevistadas... Incluso podríamos ir más allá: hablamos de cuotas de género reservadas para mujeres, pero ¿qué pasa con las personas LGTB+? Pues eso: manos a la obra.

Coeducación

Es un método y una filosofía educativa que tiene una mirada sensible a la diversidad humana. Intenta, de manera consciente, potenciar el desarrollo de mujeres, hombres y personas LGTB+, siendo consciente de que existen niñas, niños y personas diversas que tienen realidades diferentes.

Coeducar va más allá de la escuela mixta, cuyo objetivo era juntar a niñas y niños en el aula para generar igualdad. Esta acción no es suficiente, dice la coeducación: además de juntarlos, hay que entender que las personas se han socializado de maneras distintas y experimentan sus vivencias y aprendizajes de forma singular.

Te ponemos un ejemplo. La escuela mixta dice: «estupendo, niñas y niños juegan juntos en el patio.» La coeducación añade: «Oye, pero si el patio consiste solo en dos porterías, ¿quién va a usar el espacio?» La coeducación se da cuenta de que, debido a que la sociedad sigue marcando diferencias de género, el fútbol es una actividad principalmente de chicos. Porque en la tele vemos a hombres jugar al fútbol, y a los niños se les regala balones de fútbol en su cumpleaños. Por tanto, si no cambiamos la disposición del espacio, en los patios juega al fútbol un gran número de niños y alguna niña, mientras que la mayoría de las niñas y algunos niños se quedan jugando en rincones marginales.

Lo mismo se repite en los libros de texto, en educación física o en orientación profesional. En todos los ámbitos de la escuela se pueden reproducir pequeñas dinámicas que perpetúan los roles de género. Cambiarlos es el objetivo de la coeducación.

· D ·

Derechos sexuales y reproductivos

Normalmente estos derechos se suelen agrupar en un mismo paquete, pero presentan ciertos matices:

1) Todas las personas tenemos el derecho básico a decidir libre y responsablemente la cantidad y momento de tener hijas e hijos, y de contar con información y medios para hacerlo. También tenemos el derecho a gozar del máximo estándar de salud sexual y reproductiva y tenemos el derecho universal de tomar decisiones acerca de la reproducción, libres de discriminación, coerción y violencia. Es lo que llamamos derechos reproductivos.

2) Por su parte, los derechos sexuales o el derecho a la sexualidad hace referencia al derecho a expresar la propia sexualidad sin discriminación por motivos de orientación o identidad sexual.

Esta reivindicación histórica del feminismo y del movimiento LGTB+ se traduce en muchos ejemplos: tener libertad para elegir la identidad sexual, acceder a atención sanitaria segura y de calidad que garantice los cambios de sexo; gozar de información y educación sexual; disponer de métodos anticonceptivos; interrumpir voluntariamente el embarazo de manera libre, segura y gratuita; disponer de información y libertad para tener un embarazo, parto y postparto elegido y seguro; conseguir la despatologización de las personas trans para que no sean consideradas enfermas; garantizar el acceso de parejas lesbianas o mujeres solteras a técnicas gratuitas de reproducción asistida, etc.

Diversidad

Si te vas al diccionario, verás que por *diversidad* se entiende «cuando algo es diverso o variado». Desde el movimiento feminista y LGTB+ se apuesta por reconocer la diversidad humana, visibilizarla, valorarla y potenciarla. Nuestras sociedades se han encargado de crear identidades cerradas, dicotómicas, binarias. Han anulado todas las diferencias humanas y se ha impuesto como modelo la figura masculina de hombre heterosexual, joven, sano y productivo. Todo lo diferente a ese hombre (portador del conocimiento, del saber, de la ciencia y del poder) se ha construido como lo otro, lo raro, lo excepcional. Esto se ha traducido en numerosas discriminaciones hacia la gente que no encaja en este modelo que, por otro lado, es la inmensa mayoría de la población.

La diversidad humana hace que las sociedades sean más ricas, creativas, inteligentes y divertidas. El feminismo y el movimiento LGTB+ hablan de diversidad a muchos niveles para hacerla visible y para terminar con las discriminaciones. Aquí tienes tres pequeños ejemplos:

· Diversidad de las mujeres. El feminismo no habla de «la mujer» sino de «las mujeres». Porque además de mujeres pertenecemos a una clase social, a una etnia, tenemos un aspecto físico, una orientación sexual, etc., que nos hacen diferentes.
· Diversidad sexual. No existen dos sexos, ni dos géneros, ni dos formas de vivir la sexualidad. Existen maneras infinitas de sentir y expresar y eso es maravilloso
· Diversidad funcional. Es un término que surgió en 2005 para sustituir al de «discapacidad» y hace referencia a que las personas tenemos cuerpos y capacidades diferentes, pero esas diferencias no deberían convertirse en discriminaciones. También surge para

empoderar a las personas diversas y otorgarles reconocimiento y autonomía. Como afirma el filósofo queer Paul B. Preciado, «el problema no es la silla de ruedas sino la arquitectura no accesible.»

División sexual del trabajo

Dicho de manera sencilla y rápida, se trata de las tareas asignadas tradicionalmente a mujeres y hombres en función del género. En líneas generales, nuestro modelo económico (el capitalismo) se basa en la especialización de tareas: los hombres en el empleo remunerado y las mujeres en el trabajo doméstico; los hombres en el espacio público y las mujeres en el privado. Espacios y trabajos separados que recibían una distinta valoración social y económica. Como una cadena de consecuencias, esto acarreó desigualdades a muchos niveles.

Si lo narramos en pretérito, parece que la división sexual del trabajo sea cosa del pasado. Pues sentimos aguarte la fiesta. La división sexual del trabajo sigue arraigada y vigente en todos los lugares que alcanzamos a imaginar. Vale, es verdad que las mujeres acceden al empleo remunerado en un gran número de países, pero esto no quiere decir que tengan las mismas facilidades para desarrollarse profesionalmente. Siguen siendo las principales responsables de los trabajos de cuidados, por lo que su labor se multiplica. Y además, si lo piensas, sigue existiendo una gran división sexual en cuanto a las profesiones, actividades, aficiones... Vamos, que por poner un ejemplo, en las carreras de industriales o de agrónomos las mujeres brillan por su ausencia y las que acceden no lo tienen nada fácil.

Despatologización trans

Aunque parezca increíble, hasta el 2012 la transexualidad seguía siendo considerada un trastorno mental según la Asociación Psiquiátrica Americana y en la la Organización Mundial de la Salud lo ha sido hasta 2018. Esta catalogación tiene consecuencias directas en la vida de las personas trans. Si bien es cierto que la legislación y derechos de las personas trans varían mucho de un país a otro, la patologización de la transexualidad supone un impedimento para considerar a estas personas sujetos de pleno derecho.

Si lo piensas bien, ¿quién tiene el problema? ¿Quién tiene una enfermedad? ¿Una persona que se siente mujer teniendo pene o una sociedad que no entiende que las mujeres pueden tener pene? Para algunos sectores médicos, existe una incongruencia entre la mente y el cuerpo de las personas trans pero, como reivindica un gran lema en las movilizaciones trans, «la incongruencia no está en mi cuerpo, está en tu mirada».

La despatologización trans es, por tanto, la lucha internacional para que la transexualidad deje de ser considerada un trastorno mental y para quitar el trastorno de identidad de género de los manuales internacionales de enfermedades.

Dragking, dragqueen o transformista

Una persona transformista es aquella que se viste de manera exuberante, con mucho maquillaje, de manera histriónica y sofisticada para actuar en un escenario. Si esta persona es un hombre que se viste de mujer, se le conoce como dragqueen y si es una mujer que se viste de hombre, se trata de un dragking.

Seguro que has ido a más de un espectáculo de drags, y probablemente te lo has pasado pipa. La intención del transformismo es crear situaciones cómicas y satíricas, así como burlarse de las nociones tradicionales de la identidad y los roles de género.

A veces, erróneamente, se piensa que las drags son personas travestis y/o homosexuales. Pero no tiene por qué. El transformismo consiste en crear un personaje y la persona que lo recrea puede tener cualquier identidad y orientación sexual.

· E ·

Empoderamiento

En las sociedades patriarcales, las mujeres nunca han tenido poder, ni propio o colectivo, ni político o económico... Hoy en día, a pesar de muchos avances, tampoco lo ostentan. Por eso, desde los feminismos se habla del «empoderamiento», un proceso por el cual las mujeres tengan la posibilidad de elegir, decidir y participar en todos los ámbitos: legal, social, cultural, ideológico...

No se trata de ganar poder para sentirse por encima de otras personas, ni para invertir relaciones desiguales. Es decir, no es un «poder sobre», sino más bien un «poder con» y «poder para». ¿Para qué? Para transformar las relaciones injustas y las discriminaciones.

Desde el feminismo se habla de que las mujeres se empoderen, pero también las personas LGTB+, los grupos oprimidos, las personas sin voz y de los márgenes. Empoderarse tiene que ser un proceso de abajo a arriba, es decir, liderado por las protagonistas. Se trata de que estas desarrollen una imagen positiva de sí mismas y ganen confianza en sus capacidades para poder exigir y negociar cambios en sus vidas, así como tener autonomía.

Espejismo de la igualdad

Autoras como Norma Vázquez hablan del «espejismo de la igualdad», por el que muchas personas piensan que la sociedad es más igualitaria que antes ya que las mujeres tienen muchos más derechos y están en una mejor situación social. Por ello, cuando hay casos de violencia contra las mujeres no se pone el foco en las desigualdades, sino que se atribuye a cuestiones o actitudes personales ancladas en el pasado y no a una relación basada en el poder. El espejismo de la igualdad es peligroso y puede llevar a que no se aborden las causas reales de temas tan importantes como las violencias machistas.

· F ·

Familias diversas

La familia es una unidad social formada por un grupo de individuos ligados entre ellos por relaciones de matrimonio, parentesco o afinidad. La familia tradicional y sobre la que se han desarrollado las sociedades occidentales es la compuesta por una pareja heterosexual (hombre y mujer) y sus hijas e hijos.

Pero la familia tradicional no es el único modelo social. Hoy en día tenemos que hablar de «familias diversas», que son representativas de la enorme diversidad humana. Existen familias monoparentales, familias con dos madres, unidades familiares de tres personas adultas, separaciones, divorcios, familias reconstituidas, etc.

El movimiento feminista y LGTB+ ha luchado —y sigue luchando— para visibilizar otros tipos de unidades familiares. Su propósito: conseguir que las familias diversas tengan los mismos derechos que la familia tradicional.

Feminicidio

«El machismo mata», seguro que conoces esta expresión. El *feminicidio*, así como la variante *femicidio*, es una forma de llamar al asesinato de mujeres por razón de su sexo. Se trata, por tanto, de una forma de violencia machista.

Feminicidio también se concibe como el homicidio sistemático de las mujeres, como un genocidio contra estas, cuya causa se encuentra en el machismo y la misoginia. La violencia contra las mujeres se considera algo normal, que incluye atentados contra su integridad, su salud, su libertad o su vida. El feminismo pone sobre la mesa que los asesinatos diarios de mujeres y niñas en todo el mundo no son casualidades o fruto de pasiones bajas. Se trata de crímenes de odio contra las mujeres que se sostienen por las relaciones de poder.

· H ·

Heteropatriarcado

Se trata de una variación del término patriarcado. Al ponerle el prefijo *hetero* a la palabra *patriarcado* se hace hincapié en que el sistema de dominación patriarcal no solo se erige en función de los hombres sobre las mujeres, sino que también impone la heterosexualidad. Es lo que las lesbofeministas denunciaban como «heterosexualidad obligatoria».

La imposición del modelo heterosexual como la forma correcta y normal genera múltiples desigualdades y opresiones. Un ejemplo: las parejas homosexuales todavía no gozan de los mismos derechos que las heterosexuales en muchas sociedades en cuestiones como el matrimonio o la adopción. A esto se le llama homofobia institucional y se trata de discriminaciones promovidas por los gobiernos.

Heteronormatividad

Régimen social y cultural, en las sociedades occidentales, que entiende que la heterosexualidad es la única sexualidad, constituyéndose como la norma y lo normal. Esto tiene graves consecuencias que todavía hoy debemos lamentar: la persecución y la marginación de las personas no heterosexuales.

Este sistema de pensamiento único que es la heteronormatividad se traduce en desigualdades contra las cuales luchan los movimientos feminista y LGTB+, frente a las que defienden la diversidad y el reconocimiento de todas las personas.

Interseccionalidad

¿Te acuerdas de lo que decía Angela Davis? Las categorías de mujer y hombre no son identidades uniformes y absolutas. Las identidades son múltiples y se configuran por la articulación del género con otras muchas variables, como la etnia, el lugar de procedencia, la clase social, la orientación sexual o las capacidades físicas.

Desde el feminismo y el movimiento LGTB+ se insiste en colocar la interseccionalidad en el centro del análisis y de la elaboración de políticas, para poder dar cuenta de cómo el sexismo se refuerza con el racismo, la homofobia, la xenofobia, la gordofobia... Si no se tienen en cuenta estas variables, aunque se defienda la igualdad de género, se pueden perpetuar las discriminaciones o, lo que es peor, agudizarlas.

¿Un ejemplo? María, mujer de mediana edad en una ciudad como Sevilla. Sus oportunidades de encontrar empleo no son las mismas que las de su compañero varón, ya que, por ejemplo, muchas empresas prefieren a los hombres porque ellos no se quedan embarazados. Pero también serán diferentes en función de otras variables: si es española de nacimiento, de tez clara, heterosexual, y de complexión delgada probablemente tenga más facilidades que otra mujer sevillana de origen marroquí que utilice velo, o que una mujer trans, o que una mujer obesa. Bastante injusto, ¿verdad?

Identidad de género

Se trata de una vivencia subjetiva de cada persona. La identidad de género, o identidad sexual, es la respuesta a cómo te sientes

con respecto al sexo y género. Es lo que somos, con lo que nos iden-
tificamos, que puede coincidir o no con el sexo al nacer, biológico
o asignado. Tradicionalmente nos han dicho que hay dos géneros,
hombre y mujer, pero lo cierto es que hay muchas más opciones.
Realidades que todavía son poco visibles, pero están muy extendidas.
Lo interesante es que cada categoría de identidad sexual es amplia
y diversa. Algunas opciones son:

- Género femenino: personas que se sienten mujer.
- Género masculino: personas que se sienten hombre.
- Bigénero: personas que se sienten hombre y mujer a la vez.
- Demigénero: personas que se sienten solo parcialmente
hombre o mujer.
- Agénero: personas que no se sienten ni mujeres ni hombres.
- Géneros fluidos: personas que se sienten temporalmente
hombres y temporalmente mujeres.
- Tercer sexo: quienes no se definen como hombre ni como mujer
ni como género.

Igualdad

Una de las grandes palabras de los movimiento feminista y LGTB+.
Es su gran meta, muchas dirían que su razón de ser. Puede que esta
visión sea un poco reduccionista ya que la igualdad es solo uno de
sus objetivos, pero uno muy importante. Se puede resumir en dos
ideas:

- La igualdad es lo contrario a la desigualdad, la inequidad,
la injusticia. Por tanto, la lucha por la igualdad trata de combatir
y erradicar las desigualdades.

· Se sustenta en tres pilares: igualdad de oportunidades (igualdad formal); igualdad de trato (equidad); e igualdad de condiciones (no discriminación, ni real ni simbólica)

Esta palabra, no obstante, genera debate dentro de los feminismos. En las últimas décadas han surgido voces que dicen que la igualdad no puede ser una meta: el objetivo no es ser iguales, sino aceptar la diversidad y tener las mismas oportunidades. Estas voces prefieren el concepto de *equidad*, que se refiere a una igualdad de derechos entre personas diferentes. Las defensoras de la palabra *igualdad*, por su parte, sugieren que este concepto es compatible con las diferencias y se trata de un principio democrático, ético y político, que rechaza la jerarquía de valor desigual.

IGUALDAD

EQUIDAD

LGTBIQ

Siglas de los términos lesbiana, gay, transexual, bisexual, intersexual y queer. Para entender la complejidad de este término, que remite al concepto *queer*, te invitamos a leer su definición en la introducción de este libro.

LGTBfobia

Se trata de la aversión y el odio a las personas LGTB+, que se traduce en desigualdades y violencias concretas. Dentro de este concepto se agrupa la transfobia (aversión y discriminación hacia las personas trans), lesbofobia (hacia las lesbianas), homofobia (hacia los homosexuales), bifobia (hacia las personas bisexuales) y serofobia (hacia las personas seropositivas, es decir, portadoras del virus VIH).

La LGTBfobia se muestra de muchas maneras, algunas evidentes y otras sutiles. Desde expresiones cotidianas y normalizadas como «no seas marica» para referirse a una persona que no se atreve a hacer algo, hasta agresiones físicas a personas trans en la calle. Desde comentarios paternalistas como «es lesbiana, qué le vamos a hacer, la vamos a querer igual» hasta la discriminación en un colegio a un chico por tener pluma o no ser suficientemente «macho».

La LGTBfobia censura a las personas con una sexualidad no normativa, y lo hace mediante prejuicios, pensamientos, comentarios y actitudes discriminatorias. Pero hay más, porque también existe la LGTBfobia institucional, es decir, la que promueven las leyes, los gobiernos y sus instituciones. Algunos ejemplos: considerar a las personas transexuales enfermas, prohibir el matrimonio homosexual o impedir que una mujer lesbiana adopte porque se cree que no será buena madre.

· M ·

Machismo

El machismo está tan extendido que seguro que no necesitas muchas explicaciones sobre qué es. Aun así, ahí va una pequeña definición: se trata de una ideología que engloba un conjunto de prácticas, comportamientos y dichos que resultan ofensivos contra el género femenino y que niegan a las mujeres como sujetos independientes.

Algunos movimientos feministas lo definen como «el conjunto de actitudes y prácticas sexistas aprendidas llevadas a cabo en pos del mantenimiento de órdenes sociales en los que las mujeres son sometidas o discriminadas». Se considera que el machismo es la causa principal de comportamientos heterosexistas u homofóbicos.

Dos bodies de bebés. Increíble pero cierto. Estos bodies salieron a la venta en una gran cadena de supermercados en España en 2016.

Está comprobado que las mujeres son más prudentes y seguras al volante y son causa de menos accidentes.

Micromachismos

Se trata de un machismo, que por su menor intensidad, no mata y pasa desapercibido, es cotidiano y, por lo tanto, aceptado. El problema radica en que sucede a diario y perpetúa el machismo más visible.

El primero que acuñó el término de *micromachismos* fue el terapeuta argentino Luis Bonino en 1990. Para él, se trata de comportamientos masculinos que buscan reforzar la superioridad sobre las mujeres: «Son pequeñas tiranías, terrorismo íntimo, violencia blanda.» Es decir, son todas las actitudes cotidianas que perpetúan la desigualdad y la relación de poder.

Con el tiempo, este término se ha extendido y ya no significa solo el machismo invisible dentro de las relaciones íntimas, sino que se ha hecho extensible a todos los espacios donde se dan microviolencias.

Mansplaining

Hábito de los hombres de explicar cosas a las mujeres con tono condescendiente. No importa si la mujer en cuestión sabe o no del tema, el caso es que necesita que un hombre se lo explique una y otra vez. Ya tiene traducción en castellano: ¡machoexplicación!

Manspreading

Se refiere al despatarre masculino dentro de un transporte público o en la butaca del cine. ¿Cuál es el problema? No se trata de cortarle el rollo a nadie, pero que los hombres abran a sus anchas las piernas invade el espacio ajeno y tal vez puede resultar un poco incómodo si sus piernas despatarradas tocan las tuyas.

El *manspreading* no es una práctica nueva, pero sí se ha empezado a visibilizar desde hace poco tiempo. En algunos lugares se han iniciado campañas activistas o institucionales para animar a los varones a ser más respetuosos en el espacio público.

· O ·

Orientación sexual

La orientación sexual u orientación del deseo está relacionada con tu preferencia sexual. Es decir, con el sexo hacia el que sientes atracción emocional, afectiva y sexualmente. Hay muchas formas de desarrollar esta faceta de la vida de las personas. Esta lista es un ejemplo:

· Heterosexual: si te gustan las personas del otro sexo.

· Homosexual: si te gustan las personas del mismo sexo (gay o lesbiana).

· Bisexual: si te gustan las personas de ambos sexos. La intensidad con la que te gustan las personas de un sexo u otro puede ser diferente o incluso puede variar a lo largo de la vida.

· Pansexual: si te gustan las personas independientemente de su sexo y género.

· Asexual: si no sientes atracción sexual por ningún sexo. Esto no quiere decir que no puedas sentir amor.

Objetualización de las mujeres

Seguro que has escuchado en más de una ocasión eso de «a las mujeres nos tratan como objetos». De eso va este término: del proceso de representar a las mujeres como si fueran un objeto que sirve para el placer sexual de otra persona.

Se objetualiza a las mujeres cuando en un anuncio de zapatos aparece una mujer con cara de placer y con un gran escote, cuando en la televisión el presentador de una gala va en esmoquin y lo acompañan tres azafatas semidesnudas, o cuando en una película se presenta al personaje masculino mostrando su rostro y sus acciones, pero a ella se la introduce en imágenes cortadas que muestran su cuerpo fragmentado, especialmente las partes consideradas eróticas.

Igual nos lees y piensas con escándalo: qué moralistas, ¿qué tiene de malo el desnudo, el cuerpo o las actitudes sexis? Y es verdad, nada que objetar. Pero te invitamos a reflexionar: ¿es necesaria esa representación? ¿Se trata igual a los varones? ¿Qué consecuencias tiene este trato tan diferente?

Muchas feministas señalan que en nuestra sociedad a las mujeres se las identifica y asocia con su cuerpo mucho más que a los hombres y que, en gran medida, se las valora por su aspecto. Para conseguir ser socialmente aceptables, las mujeres sufren una presión constante para corregir sus cuerpos y apariencia, y para adecuarse a los ideales de la apariencia femenina. Además, se concibe a las mujeres como objetos de deseo carentes de voluntad propia.

Pinkwashing

Originalmente, este término se empezó a utilizar en la lucha contra el cáncer de mama para identificar a aquellas empresas que decían que apoyaban esta lucha cuando lo que en realidad pretendían era aumentar sus beneficios y tener una mejor imagen incorporando una causa benéfica entre sus intereses. Más tarde se incorporó a la lucha LGTB+, donde ha dado mucho juego. Traducido como «lavado rosa», el evidencia la estrategia de marketing que usan ciertas marcas para ganar consumidores vendiendo simpatía con las personas LGTB+. También se utiliza para referirse a la estrategia política de lavado de cara que usan muchos países que vulneran los derechos humanos pero que, cuando toca vender el país como destino turístico, se muestran muy abiertos a las personas LGTB+. Como sucedió con el cáncer de mama, se usa este término para denunciar aquellas empresas y/o países que utilizan estos movimientos en su beneficio, para crear una imagen de tolerancia, progreso y modernidad.

Passing

Esta palabra viene del inglés y sería algo así como «pasar por» o «pasar como». En un contexto LGTB+, se refiere a cuando una persona trans es percibida y/o interpretada como cisgénero. Es decir, que muestra comportamientos, rasgos o atributos de lo que socialmente se entiende por masculinidad y feminidad. En ocasiones, las personas trans hacen *passing* como estrategia para facilitarse la existencia debido a las discriminaciones diarias y la opresión.

Reasignación o transición sexual

Es el proceso por el que una persona pasa del género y/o características físicas que le han sido asignadas socialmente a aquellas con las que se siente identificada.

Sexo neonatal

El ser humano es un ser sexuado, es decir, nace con un órgano sexual. Este sería el sexo neonatal, también llamado sexo biológico. Abarca las características sexuales con las que nacemos y se determina en función de tres elementos: los genitales, los cromosomas y las hormonas.

Existen tres categorías dentro del sexo neonatal: hombre, mujer e intersex. Si tienes pene, testículos y tu cromosoma es XY, tu sexo biológico es hombre. Si tienes vulva, ovarios y tu cromosoma es XX, eres mujer. En tercer lugar, algunas personas tienen una combinación con genitales que parecen ser femeninos y masculinos al mismo tiempo, o no del todo masculinos ni femeninos. También hay personas que tienen cromosomas XXY o que tienen cromosomas XO. A todas ellas se las engloba dentro del término *intersexual*. Curiosamente, las personas intersexuales no son la excepción de la norma. Uno de cada 1.600 nacimientos no es ni XX ni XY, según los datos de la Sociedad Intersexual Norteamericana.

Otra categoría sexual que a lo mejor has escuchado es la de *hermafrodita*, pero es un término incorrecto que suele usarse para referirse a las personas intersexuales.

Sexo de asignación

Cuando nacemos, los médicos nos asignan un sexo en función de nuestros genitales. Es decir, la razón de que nos llamemos Juan o Juana es puramente visual. Si nacemos con pene y testículos, seremos Juan. Si nacemos con vulva, seremos Juana.

Esta clasificación es binaria, es decir, divide la diversidad sexual en dos sexos biológicos, hombre y mujer, lo cual genera varios errores. Por un lado, puede definir mal un sexo (ya que solo tiene en cuenta los genitales, pero no los cromosomas o las hormonas). Y, por otro, ignora la enorme diversidad sexual que existe, olvidándose de la intersexualidad.

Sexo sentido

Se trata del sexo/género que cada persona siente que tiene, y no el asignado. Coincide con la identidad sexual o identidad de género.

Sexualidad

La sexualidad es un aspecto amplio de la vida humana, que no se circunscribe a los elementos biológicos o reproductivos de nuestro cuerpo. Engloba diferentes características y funciones, como el cuerpo, la respuesta sexual (deseo, excitación, orgasmo y resolución), la identidad sexual, la orientación sexual, la identidad de género, el placer o el erotismo. La sexualidad es la forma en la que cada cual, mediante su cuerpo sexuado, expresa, siente, disfruta y se relaciona. Se vive y expresa mediante conductas, pensamientos, deseos, fantasías, valores, creencias, con nosotras mismas y con otras personas. Cada persona vive esta condición de manera particular.

Desde el feminismo y el movimiento LGTB+, se pone mucho empeño en garantizar que todas las personas vivan una sexualidad libre y placentera, porque muchas mujeres se han visto privadas del placer y se ha invisibilizado y penalizado a sexualidades no heterosexuales ni normativas.

Sistema sexo-género

Este sistema trata de explicar cómo, basándonos única y exclusivamente en la diferencia del sexo con el que nace cada persona (entendido el sexo solo como hembra o varón), se crea todo un conjunto de creencias, valores, costumbres, normas, prácticas, oportunidades y comportamientos sociales diferentes para ambos sexos. Mientras el sexo es entendido como la diferencia sexual anatómica, el género es definido como una construcción social, que cambia en el tiempo y según las sociedades. Es decir, cada sociedad, en cada momento histórico determinado, marca la pauta de lo que es correcto para entrar dentro de las categorías de los modelos masculino y femenino.

Sororidad

Sororidad viene de la raíz latina *soro*, que significa hermana. Es una palabra que se dice de manera muy parecida en varios idiomas: en francés, *sororité*; en italiano, *sororitá*; en español, *sororidad*; en inglés, *sisterhood*. Hace alusión a la hermandad entre mujeres, es decir, a la solidaridad entre mujeres en la sociedad patriarcal.

Desde el feminismo, las mujeres se perciben como iguales que pueden aliarse, apoyarse, compartir y, sobre todo, cambiar su realidad. Todas las mujeres, de alguna manera, han sido oprimidas y eso hace que tengan puntos de encuentro y puedan generar alianzas para acabar con las desigualdades. Para la antropóloga mexicana Marcela Lagarde, impulsora de este término, la sororidad comprende la amistad entre quienes han sido educadas en el mundo machista como enemigas. Si la sociedad patriarcal concibe a las mujeres como competidoras, la sororidad apuesta por la relación de amistad y de apoyo entre estas. En resumidas cuentas, la sororidad se traduce en hermandad, confianza, fidelidad, apoyo y reconocimiento entre mujeres para construir un mundo diferente.

Trans

Según el sociólogo y activista trans catalán Miquel Missé, «nos referimos a trans para englobar las identidades transexual, transgénero y travesti sin tener que explicitar las divisiones internas que existen dentro del propio movimiento trans. Se utiliza también este término porque el sentido de los tres anteriores varía según los territorios. Por ejemplo, travesti en América Latina quiere decir lo mismo que transgénero en España.

Transgénero

Aquella persona que vive en el género contrario al que le fue asignado al nacer, pero no considera necesaria una modificación de su cuerpo. Este término emergió a principios de los 90 en oposición al término médico *transexual* para visibilizar la multiplicidad de identidades trans y romper la dicotomía transexual-travesti. Se trata de un concepto muy amplio que viene del término académico anglosajón *transgender*.

Transexual

Se trata de las personas que se sienten del género contrario al que les fue asignado al nacer y deciden modificar su cuerpo mediante hormonas y operaciones. Ser transexual no implica tener una orientación sexual concreta. Al contrario de lo que se suele creer, no tienen por qué ser homosexuales. Una persona transexual puede ser gay, lesbiana, heterosexual, bisexual, pansexual o asexual. Normalmente se diferencian en dos categorías:

· Hombre transexual: persona que, al nacer, tiene los órganos genitales que se atribuyen al sexo femenino, pero se siente identificada con el género masculino.

· Mujer transexual: persona que, al nacer, tiene los órganos genitales que se atribuyen al sexo masculino, pero se siente identificada con el género femenino.

Travesti

Aquella persona a la que le gusta vestirse y adoptar el rol de género contrario al que vive en su vida cotidiana. El objetivo del travestismo es jugar y cuestionar los roles de género en momentos concretos. De manera errónea, se suele pensar que las personas travestis son transexuales. No necesariamente la persona travestida desea una reasignación de sexo, ya que puede sentirse plenamente identificada con su sexo de nacimiento.

Violencia de género

Habrás escuchado «violencia de género» en más de una ocasión. Pero también «violencia contra las mujeres» o «violencia machista». Los tres conceptos remiten a lo mismo: se trata de una violencia que se ejerce contra las mujeres por el mero hecho de serlo. Constituye un atentado contra la integridad, la dignidad y la libertad de las mujeres.

La violencia de género se fundamenta en la supuesta superioridad de un sexo (hombre) sobre otro (mujer). También se mantiene a lo largo de los años porque tiene una base sólida: los roles de género, que sitúan a los varones en la parte alta de la jerarquía y el poder social, y a las mujeres en la baja. Este tipo de violencia tiene como objetivo dominar la vida de las mujeres, lo que incluye sus comportamientos, sexualidad y cuerpos. Afecta a toda la organización social y es uno de los problemas políticos y sociales más graves de la actualidad. Adopta múltiples formas y se traduce en violencia simbólica, institucional, económica, sexual o física. Por eso hablamos de violencias, en plural.

Las personas LGTB+ también sufren agresiones por motivos de género. La violencia de género busca castigar aquello que desafía las normas sobre el género. No tienes por qué ser lesbiana, gay, bisexual o transgénero para sufrir una agresión: simplemente la percepción de homosexualidad o de identidad transgénero es suficiente para ponerte en peligro.